HSK 单词速记速练

Brushing up Your Vocabulary for HSK

初级篇
Elementary

D0865786

（中册）
Book Ⅱ

主编　赵明德　鲁　江

编者　（按所编词条数量为序）

赵学会　田　艳

张　璟　李朝辉

赵明德　李春梅

刘天舒　张　静

北京语言大学出版社

（京）新登字 157 号

图书在版编目（CIP）数据

HSK 单词速记速练·初级篇·中/赵明德,鲁江主编.
－北京：北京语言大学出版社，2002
ISBN 7-5619-1234-X

Ⅰ. H…

Ⅱ. ①赵… ②鲁…

Ⅲ. 汉语-词汇-对外汉语教学-水平考试-自学参考资料

Ⅳ. H195

中国版本图书馆 CIP 数据核字（2002）第 049202 号

责任印制：汪学发
出版发行：北京语言大学出版社
社　　　址：北京市海淀区学院路 15 号　　邮政编码 100083
网　　　址：http：//www. blcup. com
印　　　刷：北京北林印刷厂
经　　　销：全国新华书店
版　　　次：2003 年 8 月第 1 版　2003 年 8 月第 1 次印刷
开　　　本：787 毫米 ×960 毫米　1/16　印张：12.75
字　　　数：198 千字　印数：1-3000 册
书　　　号：ISBN 7-5619-1234-X/H · 02120
　　　　　　2003 DW 0056
定　　　价：28.00 元
出版部电话：010-82303590
发行部电话：010-82303651　82303591
　　　传真：010-82303081
E-mail：fxb@ blcu. edu. cn

如有印装质量问题·本社出版部负责调换

词条音序索引：乙级词

A

B

C

5

12

13

乙 级 词

（A——K）

A

1. 阿　ā　（词头）

　　　　a prefix used before pet names , kinship terms , monosyllabic surnames , etc . to form terms of endearment

　　阿英/阿强　　　　A Ying/A Qiang
　　阿爸/阿哥　　　　daddy/brother

2. 阿拉伯语　Ālābóyǔ　（名）　　Arabic（language）

3. 阿姨　āyí　（名）　　aunt , house maid
　　张阿姨　　　　Aunt Zhang
　　小阿姨　　　　babysittter

4. *啊　a　（助）　　an auxiliary used in enumerating items to indicate a deliberate pause

　　他啊,可忙了。　　　　As to him , he is really busy .
　　商店啊,邮局啊,都很近。　As to shop , post office , they are both very near .

5. 挨　āi　（动）　　be close to
　　挨着窗户　　　　be close to the window
　　两家商店挨着。　　The two shops are side by side .

6. 哎　āi　（叹）　　an interj . used to show surprise or disapproval , or remind sb . of sth .

　　哎,你怎么不告诉我?　　Hey , why didn't you tell me?
　　哎,该吃药了。　　　Now , it's time to take the medicine .

7. 哎呀　āiyā　（叹）　　an interj . showing surprise or amazement , or expressing complaint and impatience

　　哎呀,是你!　　　Ah! it's you!
　　哎呀,头真疼呀!　　Ow , my head hurts!

8. *矮　ǎi　（形）　　low , in rank or grade
　　他比我矮一个年级。　He's one grade lower than me .

9. *爱　ài　（动）　　tend to
　　爱感冒　　　　tend to catch cold

10. 爱好　àihào　（动、名）　　love , like , be fond of; hobby
　　爱好体育　　　be fond of sports
　　很多爱好　　　have many hobbies

11. 爱护　àihù　（动）　　take good care of
　　爱护文物/眼睛　take good care of historical relics/eyes

12. 爱情　àiqíng　（名）　　love
　　爱情故事　　　love story

一、请从左页中选择合适的词语填入括号：

1. （　　），衣服掉到楼下去了！

2. 我们的宿舍楼左边（ai）着一个饭馆。　*ai roliin* 挨

3. 他去过很多地方：南京（　　），桂林（　　）等等。　啊阿

4. 幼儿园（　　）对每个孩子都很好。　小阿姨 *xiaoayi (=babysitter)*

5. （　　），你怎么不开灯啊？　*a ya*

6. 他学过法语，德语和（　　）。　*Ālābóyǔ* 阿拉伯语

7. 我一紧张就（　　）头疼。　爱 *ai tend to*

8. 这是邻居李（　　）送来的饺子。

9. 虽然做一样的工作，但她的工资比我们（　　）一级。

10. 我最喜欢听（aiqíng）故事。　爱情

11. 她很（aihao）这些小动物。

二、选择与划线词语意思最相近的解释：

1. A. 容易　　B. 喜欢　　C. 对人或事物有很深的感情

（1）我不穿白衣服，因为白衣服爱脏。　（　　）

（2）她特别爱跟人聊天。　（　　）

2. A. 表示赞叹（tàn）语气　B. 表示疑问语气　C. 表示句中的停顿　D. 表示举例

（1）他啊，每天晚上都十二点以后才睡。　（　　）

（2）你要带我去哪儿啊？　（　　）

（3）包子啊，饺子啊，我都爱吃。　（　　）

（4）山里的空气多么新鲜啊！　（　　）

三、选择合适的词语填空：

1. A. 挨　　B. 靠

（1）他们俩_____在一起看一本小说。

（2）人太多，照相时大家请往中间_____。

（3）我们家_____着河边。

2. A. 爱　　B. 爱好　　C. 喜欢

（1）他_____躺着看书。

（2）他做事_____着急。

（3）公园里每天都有许多_____京剧的人在一起练唱。

13．安全　ānquán　（形、名）	safe; safety
安安全全地回来	come back safe and sound
注意安全	pay attention to your safety
14．安慰　ānwèi　（动、名）	console, comfort; consolation
安慰安慰她	console her
给我安慰	give me comfort
15．安心　ān xīn	feel at ease
安安心心地学习	keep one's mind on study
安下心来看书	calm down to read
16．按　àn　（动、介）	push, press; according to
按门铃	ring the doorbell
按计划/……的想法	according to the plan/one's opinion
17．按时　ànshí　（副）	on time
按时完成	finish on time
18．按照　ànzhào　（介）	according to
按照规律	according to the law
19．暗　àn　（形）	dark, dim
光线/颜色太暗	The light/color is too dark.
20．岸　àn　（名）	bank
岸边	by the side of the bank

B

21．拔　bá　（动）	pull out
拔草/拔牙	pull out the grass/ teeth
拔不出来	unable to pull out
22．*把　bǎ　（量）	a handful
一把花/土	a handful of flowers/soil
23．*吧　ba　（助）	*an auxiliary used to indicate some doubt in the speaker's mind*
可能因为天冷吧,公园里人很少。	Maybe because it's cold, there are few people in the park.
24．*白　bái　（形）	plain, blank
白开水	plain boiled water
白纸	a blank sheet of paper
交白卷	hand in an exam paper unanswered

一、请从左页中选择合适的词语填入括号：

1. 孩子的心就像一张（白）纸，千万不要污染了它。

2. 口渴的时候喝（　）开水最好。

3. 这间教室太（　）了。 an（dark）

4. 可能放假了（　），学校里没什么学生。

5. (anbian) 边停着一只小船。 岸

6. 这条路不太（anquan）。

7. 那（　）鲜花放在这儿，一定很漂亮。

8. 在英国，（an）规定，酒馆23：00以后就不再卖酒了。

9. 大家要抓紧时间干，下个月必须（　）交货。

10. 你帮我（　）着它的身体，我要给它洗个澡。

二、选择与划线词语意思最相近的解释：

　　A. 空的　　　B. 没往里面加其他东西的　　　C. 一种颜色

1. 他什么都不会，考试交了白卷。　　（ A ）

2. 别给我冲咖啡，我喝白水就行了。　　（ B ）

3. 信封里只有白纸一张，上面什么也没写。　　（ A ）

4. 看，合同上白纸黑字写得清清楚楚，你还不承认？　　（ C ）

三、选择合适的词语填空：

1. A. 安心　　B. 安慰

（1）在他最困难的时候，家人的支持使他感到____B____。

（2）你____A____休息吧，我帮你照顾母亲。

（3）儿子长大了，自己能照顾自己了，父母也就____B____了。

（4）生活里有这么多的痛苦，我只有到书里去寻找____A____。

2. A. 拔　　B. 拉

（1）哎，钥匙怎么_____不出来了？

（2）一位老太太摔倒在地上，我赶紧跑过去把她_____起来。

四、把下列词语组成句子：

1. 你的　非　办　要　意思　按　为什么

2. 他　报纸　都　每天　送　按时　把　来

3. 安心　使他　地　不能　家里的事　工作

25. 白 bái （副）
　　白白来一趟
　　白吃白住

in vain, free of charge, for nothing
make a fruitless trip
get free meals and lodging

26. 白菜 báicài （名）
　　一棵白菜

Chinese cabbage
a head of Chinese cabbage

27. 白天 báitiān （名）
　　从白天到黑夜

daytime
from day to night

28. *百 bǎi （数）
　　百科知识

a hundred, numerous, all kinds of
encyclopedic knowledge

29. *摆 bǎi （动）
　　摆摆手

sway, swing, shake, wave
wave one's hands

30. 败 bài （动）
　　打败对方
　　甲队败了。

defeat, beat
defeat the opponent
Team A lost the game.

31. *班 bān （名）
　　上班/下班
　　一连三班

class, shift, squad
go to work/knock off
Squad Three, Company One

32. 班长 bānzhǎng （名）

monitor (of a class or a squad)

33. 板 bǎn （名）
　　木板/玻璃板

board, plank
a plank of wood/a sheet of glass

34. 半导体 bàndǎotǐ （名）
　　打开半导体

semiconductor, transistor radio
turn on the transistor radio

35. 半拉 bànlǎ （名）
　　半拉西瓜/馒头

half (colloquial)
half a watermelon/steamed bread

36. *半天 bàntiān （名）
　　想了/看了半天

a long time, quite a while
think/look for a long time

37. 半夜 bànyè （名）
　　下半夜
　　玩儿到半夜

midnight
the latter half of the night
play till midnight

38. *办 bàn （动）
　　办工厂/办公司/办学校

set up, open
set up a factory/company/school

一、请从左页中选择合适的词语填入括号：

1．北京人冬天爱吃（　　）。　白菜

2．火车到的时候已经是（　　）了。　半夜

3．我们（　　）都去上班，请你晚上来吧。　白天

4．这可是一次（　　）年不遇的好机会。　百

5．上下（　　）时间公共汽车上人特别多。　班

6．很多中国人喜欢在办公桌上放一块玻璃（板）。

7．每天一起床老人就打开（　　）听新闻。　半导体

8．自行车坏在路上了，修了（　　）才修好。　半天

9．我要付饭费，可他向我（　　）手说："我来。"　摆

10．他当（　　）不太合适。　班长

11．三个（　　）的战士都参加了劳动。

二、选择与划线词语意思最相近的解释：

1．A．做　　B．处理　　C．经营（jīngyíng）　　D．创建

(1) 这个公司虽然办的时间不长，却已经很有名了。（　　）

(2) 我们几个朋友一起办了家公司。（　　）

2．A．表示数量很多　　B．一百

(1) 森林里百鸟歌唱。（A）

(2) 春天到了，百花开放。（A）

3．A．增加　　B．无代价的　　C．无效果（xiàoguǒ）的

(1) 买一个照相机，还白送了我一只手表。（　　）

(2) 几年的努力都白费了。（　　）

三、选择合适的词语填空：

1．这本小说我看了＿＿＿＿就不想看了。

A．一半　　　　B．半拉

2．在今年的比赛中，他们队几次＿＿＿＿了世界强队。

A．被打败　　　　B．打败

四、把下列词语组成句子：

1．半天　了　白　我　解释

2．送　我　也　白　这种东西　我　不想要

39. 办公　bàn gōng

今天不办公。

handle official business

The office is closed today.

40. *办公室　bàngōngshì　（名）

回办公室

校长办公室

office

go back to one's office

president's office

41. 办事　bàn shì

给他办了点儿事

handle affairs

did something for him

42. 帮　bāng　（动）

帮人拿行李

help

help someone with his/her luggage

43. 帮忙　bāng máng

给别人帮忙

帮了我一个大忙

help, do a favour

do sb. a favour

did me a big favour

44. 榜样　bǎngyàng　（名）

好榜样

example, model

a good example

45. 傍晚　bàngwǎn　（名）

傍晚才回来

evening, dusk, twilight

did not return until dusk

46. 包　bāo　（名）

药包/邮包

旅行包

parcel, bag

medicine/postal parcel

luggage bag

47. 包　bāo　（动）

把……包起来

wrap

wrap...up

48. 包括　bāokuò　（动）

我说的人里不包括他。

include

He is not included in the persons I have mentioned.

49. 包子　bāozi　（名）

三个包子

steamed stuffed bun

three steamed stuffed buns

50. 薄　báo　（形）

薄被

薄薄一层

穿得太薄

thin, flimsy

thin quilt

a flimsy layer

wear too little

51. 保　bǎo　（动）

保住生命

难保

保不住

protect, defend

stay alive

difficult to maintain

unable to maintain

一、请从左页中选择合适的词语填入括号：

1．朋友送给我一个皮（　　　）。

2．他们的（　　　）在三楼。

3．总经理应该给其他工作人员做出（　　　）。

4．你邀请的人里（　　　）小王吗？

5．服务员，来一盘（　　　）。

6．吃烤鸭的时候还要用一种（　　　）饼。

7．我今天下午要出去（　　　）点儿（　　　）。

8．她喜欢用漂亮的布把头发（　　　）起来。

9．我喜欢（　　　）的时候坐在海边看太阳下山。

10．当我有困难时，总有朋友来（　　　）我的（　　　）。

11．这个病如果再不及时治，恐怕就生命难（　　　）了。

12．春节期间他们不（　　　）。

二、选择合适的词语填空：

1．A．帮　　　B．帮忙　　　C．帮助

(1) 虽然吃了很多药，但对他的病还是没什么_____。

(2) 你_____我看看这画儿挂得正不正？

(3) 他毕业以后没找到工作，临时在爸爸的店里_____。

(4) 如果你自己没信心，那么谁也_____不了你。

(5) 公司要举办一个大型展览，我也被派去_____。

(6) _____我把这张桌子抬出去吧。

(7) 那时候我丢了工作，心情不好，但我妻子给了我很大的_____。

2．A．保　　　B．保护

(1) 母猴一直在小猴子身边_____着它。

(2) 他犯了十分严重的错误，这次恐怕职位难_____了。

(3) 由于救火及时，房子_____住了。

三、判断正误，对的划"√"，错的划"×"：

1．请你帮忙我把这些面包用干净的纸包好。　　（　　　）

2．他帮了我不少忙。　　（　　　）

3．你办事完了吗？　　（　　　）

52. 保持　bǎochí　（动）　　keep, maintain
　　保持着旧传统　　maintain old traditions
　　保持安静　　keep quiet

53. 保存　bǎocún　（动）　　preserve, conserve
　　保存着信/资料　　preserve letters/ materials

54. 保护　bǎohù　（动、名）　　protect, protection
　　保护动物/环境　　protect animals/environment
　　对森林的保护　　protect forest

55. 保留　bǎoliú　（动）　　retain, reserve, keep
　　保留着……的习惯/特色　　keep the habit/distinct characteristic
　　保留着旧书报　　reserve old newspapers and magazines

56. 保卫　bǎowèi　（动）　　defend, safeguard
　　保卫祖国/……的安全　　defend one's country/protect the security of...

57. 保证　bǎozhèng　（动）　　gurantee, ensure, pledge
　　保证质量　　gurantee the quality
　　保证按时完成　　pledge to finish on time

58. *饱　bǎo　（形）　　full, plump
　　颗粒很饱　　The grains are very plump.

59. 宝贵　bǎoguì　（形）　　precious, valuable, priceless
　　宝贵的时间/经验　　precious time/valuable experience

60. 抱歉　bàoqiàn　（形）　　apologetic, sorry
　　很抱歉　　feel apologetic
　　抱歉地说　　sorry to say

61. 报到　bào dào　　report to duty, register
　　去新公司报到　　report to a new company

62. 报道/报导　bàodào/bàodǎo　（动、名）　　report, cover; news report, story
　　报道新闻/……的情况　　report news/the situation of...
　　一篇关于……的报道　　a report about...

63. 报告　bàogào　（动、名）　　report
　　向……报告　　report to...
　　调查报告　　investigation report

64. 报名　bào míng　　register, sign up, enroll
　　报名参加　　sign up for an activity
　　报上名了　　get enrolled

10

一、请从左页中选择合适的词语填入括号：

1. 我（　　）下星期把计划书交给你。

2. 北京市对古代建筑进行了很好的（　　）。

3. （　　）你们一个坏消息：旅行的事取消了。

4. 我（　　）参加了一个旅游团。

5. 小王在妻子面前写下（　　），今后再也不抽烟了。

6. 地里的庄稼颗粒很（　　）。

7. 张师傅工作三十多年了，有许多（　　）的经验。

8. 他（　　）地对我笑笑："对不起，您不能进去。"

9. 为了（　　）有足够的学习时间，别的事我都推了。

10. 接到入学通知后，请于八月二十六日至九月一日来我校（　　）。

二、选择合适的词语填空：

1. A.保留　　B.保存　　C.保持

(1) 爸爸还_____着一些三十年代老北京的照片。

(2) 在美国的华人一直_____着过春节的传统。

(3) 我一直跟老朋友_____着联系。

(4) 在顾客面前，她的脸上总是_____着微笑。

2. A.保护　　B.保卫

(1) 四十年前他参加了_____家乡的战斗。

(2) 学好武术，既可以锻炼身体，又可以在必要时_____自己。

3. A.保护　　B.爱护

(1) 你一天工作二十个小时，这怎么行？你得_____自己的身体啊。

(2) 妇女和儿童的利益应受到_____。

4. A.报告　　B.通知

(1) 我们向上级详细地_____了调查的结果。

(2) 系里_____各班准备一些节目，参加新年晚会的表演。

5. A.报到　　B.报道　　C.报导

(1) 新年期间报纸上有许多关于迎接新世纪庆祝活动的_____。

(2) 各家报纸都在最显著的位置_____了此事。

(3) 安勇找到了新工作，头一天_____，第二天就上班了。

65. 报纸 bàozhǐ （名）	newspaper
一份/两张报纸	a newspaper/two newspapers
66. 碑 bēi （名）	stone tablet, stele
一块石碑	a stone tablet
一座纪念碑	a monument
67. 悲痛 bēitòng （形）	grieved, sorrowful, sad
心情很悲痛	be filled with deep sorrow
悲痛地说	say sorrowfully
68. 背 bēi （动）	carry on back
背着旅行包	carry a travel bag on back
背不动	too heavy to carry on back
69. 北部 běibù （名）	the northern part
中国的北部	the northern part of China
四川北部	northern Sichuan
70. 北方 běifāng （名）	north
向着北方	toward north
71. 北面 běimiàn （名）	north
在中国的北面	to the north of China
北面的房间	the room in the northern side
72. 背 bèi （名）	back
后背	the back (of the body)
73. 背后 bèihòu （名）	behind
在他背后	behind him
从背后	from behind
74. 被子 bèizi （名）	quilt
盖上一条/一床被子	cover with a quilt
75. 本 běn （代）	this, the current
本人/本校	myself/this school
本世纪	the current century
76. 本 běn （副）	originally
本不愿意这样做	originally unwilling to do so
本应昨天离开	(originally) should have left yesterday
77. 本来 běnlái （形）	original
本来的形状/打算	original shape/plan

一、请从左页中选择合适的词语填入括号：

1. 这个米袋太重，我（　　　）不动。

2. 这个东西放在门（　　　），一点儿也不占地方。

3. 你大概不是（　　　）地人吧？

4. 我（　　　）不想来，可他非让我来。

5. 他只（　　　）了一个小包就来了。

6. 这不是我（　　　）的意思。

7. 大家称这个民族是"马（　　　）上的民族"。

8. 有人从（　　　）拍了我一下。

9. 他把（　　　）藏在心里。

二、选择与划线词语意思最相近的解释：

　　A. 代表说话人自己方面的　　　B. 原来　　　C. 现在这个

1. 本月有好几次大风天气。　　　（　　　）

2. 他本是一个中学教师，现在成了作家。　　　（　　　）

3. 本地区旅游资源非常丰富。　　　（　　　）

三、选择合适的词语填空：

1. A. 北边　　　B. 北部　　　C. 北方　　　D. 北面

（1）教学楼在宿舍楼的＿＿＿＿＿＿＿。

（2）长春是中国＿＿＿＿＿＿＿的一个城市。

（3）泰国在马来西亚的＿＿＿＿＿＿＿。

（4）本市＿＿＿＿＿＿＿山区下了大雪。

（5）受＿＿＿＿＿＿＿冷空气影响，明天大部分地区将要降温。

2. A. 本来　　　B. 原来

（1）这房子还是＿＿＿＿＿＿＿的老样子。

（2）他＿＿＿＿＿＿＿性格沉默，没想到现在这么爱开玩笑。

（3）我＿＿＿＿＿＿＿的几个好朋友都出国了。

四、填量词：

1. 这＿＿＿＿＿＿＿报纸有十几＿＿＿＿＿＿＿，可他一会儿就看完了。

2. 天太冷，他盖了两＿＿＿＿＿＿＿被子。

3. 天安门广场中央有一＿＿＿＿＿＿＿人民英雄纪念碑。

13

78. 本领　běnlǐng　（名）	skill, ability
学几种本领	learn some skills
79. 本事　běnshi　（名）	skill, competence, ability
本事很大	very able/skillful
没本事	no ability
80. 本质　běnzhì　（名、形）	essence, nature; essential
事物的本质	the nature of things
他本质上不错。	He is not bad in nature.
最本质的问题	the most essential questions
81. 笨　bèn　（形）	stupid, foolish, clumsy, awkward
笨手笨脚	clumsy
82. 逼　bī　（动）	force, compel, press
逼他还钱	force him to return the money
83. 鼻子　bízi　（名）	nose
鼻子不通气	have a stuffy nose
84. *比　bǐ　（介、动）	than; copy, model after
一天比一天热	It's getting hotter and hotter each day.
比着这张照片画	draw according to this picture
85. 比例　bǐlì　（名）	proportion, ratio
男女的比例是3:1。	The male-female ratio is 3:1.
老年人的比例增加了。	The proportion of old people has increased.
86. 比如　bǐrú　（动）	for example, such as
这儿有很多自然资源。比如：	There are a lot of natural resources here, such as
石油、煤等。	oil, coal, etc.
87. *笔　bǐ　（名）	stroke (of a Chinese character)
"马"字有三笔	The character "马" has three strokes.
88. 笔记　bǐjì　（名）	note
记笔记	take notes
89. 毕业　bì yè	graduate
大学毕业	graduate from college
毕业于北京大学	graduated from Peking University
90. 闭　bì　（动）	close, shut up
闭上嘴/闭上眼	shut up/close one's eyes

一、请从左页中选择合适的词语填入括号：

1. 看问题应看事物的（　　　）。

2. 我手比较（　　　），学不会做衣服。

3. 许多人来（　　　）他还钱。

4. 烟台给我的印象很好，（　　　）交通：马路很宽，车也不太多。

5. 你是哪年从学校（　　　）的？

6. 为了适应社会，必须多学几样（　　　）。

7. 这孩子（　　　）高高的，眼睛大大的，真好看。

8. 这些同学一个（　　　）一个聪明。

9. （　　　）上眼，休息一会儿吧。

10. 把你的（　　　）借给我看看。

11. 你这个字少写了一（　　　）。

12. 明年这种产品在出口产品中的（　　　）将要增加。

二、选择与划线词语意思最相近的解释：

1. 什么<u>本领</u>也没有，怎么可能找到好工作？

　　A．本事　　　B．知识　　　C．条件

2. 她自己<u>比</u>着书上的样子做了一件衣服。

　　A．比较　　　B．模仿　　　C．按照

3. 我知道一些中国少数民族，<u>比如</u>：回族、藏族等。

　　A．像　　　B．比　　　C．比较　　　D．和

三、选择合适的词语填空：

　　A．比　　　B．比较

（1）售货员跟我父亲差不多高，我就_____着他的尺寸给父亲买了件衬衫。

（2）_____了半天，还是决定买这台上海产的洗衣机。

（3）这幅画是我_____着一张照片画的。

四、判断正误，对的划"√"，错的划"×"：

1. 你真有本事，这么难的事你这么快就办好了。　　（　　　）

2. 抽烟的人比例不抽烟的人是4.2：5.8。　　（　　　）

3. 北京一年比一年变化大。　　（　　　）

4. 请这个样子比着再做一把椅子。　　（　　　）

91. 必然　bìrán　（形）　　inevitable，certain，bound to
　　　必然规律/联系　　　　inexorable law/connection
　　　必然(会)胜利　　　　be bound to win

92. 必要　bìyào　（形、名）　necessary，essential，indispensable；necessity
　　　必要的条件/东西　　　essential conditions/things
　　　不必要的担心　　　　unnecessary worry
　　　没有必要　　　　　　not necessary

93. 避　bì　（动）　　　　avoid，take shelter
　　　避雨/避灾　　　　　take shelter from rain/avoid disaster
　　　避开别人　　　　　　keep away from others

94. 避免　bìmiǎn　（动）　avoid，avert，prevent
　　　避免发生/出现　　　prevent from happening/occurrence
　　　避免战争/麻烦　　　avert war/trouble

95. *边　biān　（名）　　side
　　　身边/河边/路边　　　at one's side/by the side of river/road

96. 边……边……　biān……biān……　doing something while doing something else
　　　边干边聊　　　　　　chatting while doing works
　　　边吃饭边看电视　　　eating while watching TV

97. 编　biān　（动）　　　edit，compile
　　　编词典/编资料　　　compile a dictionary/materials

98. 扁　biǎn　（形）　　　flat
　　　扁而平　　　　　　　flat and even
　　　踩扁/压扁　　　　　trample/press flat

99. 便　biàn　（副）　　　soon after，just
　　　她上高中时便去过很多地方。　She visited many places even when she was just a high school student.

　　　吃完便走了　　　　　left soon after finishing eating

100. 便条　biàntiáo　（名）　note
　　　留了个便条　　　　　leave a note

101. *变　biàn　（动）　　conjure
　　　变出一条鱼　　　　　conjure a fish

102. 遍　biàn　（形）　　　all over，everywhere
　　　走遍　　　　　　　　walk all over the place

16

一、请从左页中选择合适的词语填入括号：

1. 这本书是他们几个人一起（　　）的。

2. 车上人太多，快把我挤（　　）了。

3. 你没（　　）把这件事告诉他。

4. 这两件事之间有什么（　　）的联系？

5. 出门旅行我只带一些（　　）的东西。

6. 路（　　）停着辆红色的小汽车。

7. 他不在，我给他留了张（　　）就走了。

8. 他（　　）听音乐（　　）写信。

9. 春天到了，（　　）山都是绿的。

10. 在生活的道路上，很难（　　）这样或那样的困难。

11. 当着观众，他把一只兔子（　　）没了。

二、选择与划线词语意思最相近的解释：

1. 报名时带上一些<u>必要</u>的证件。

　　A. 应该　　B. 可能　　C. 不可缺少

2. 他下了班<u>便</u>去学英语。

　　A. 方便　　B. 随便　　C. 便宜　　D. 就

3. 我找<u>遍</u>了所有的地方，都找不到那本书。

　　A. 找了一遍　　B. 把……全找过了

三、选择合适的词语填空：

1. A. 避开　　B. 避免

（1）那个人突然拐过来，由于司机及时发现，才_____了一场车祸。

（2）我们_____游客多的大路，从另一条小路上了山。

2. A. 必然　　B. 当然

（1）你说话那么不客气，父亲_____要生气啦。

（2）新事物_____将代替旧事物。

3. A. 必须　　B. 必要　　C. 需要

（1）既然在这儿不能充分发挥我的能力，我就没有_____再继续呆下去了。

（2）我们现在很_____一名有经验的英语翻译。

（3）明天的活动你_____参加。

103. 标点　biāodiǎn　（名）　　　　punctuation

　　写上标点　　　　　　　　　　mark punctuations

104. 标准　biāozhǔn　（名、形）　　standard, criterion; standard

　　达到/符合/超过标准　　　　　reach/meet/exceed standards

　　质量标准　　　　　　　　　　quality standard

　　标准时间/发音　　　　　　　　standard time/pronunciation

　　说得不标准　　　　　　　　　sub-standard pronunciation

105. *表　biǎo　（名）　　　　　　tables, meter, watch

　　课程表/调查表　　　　　　　　syllabus/survey form

　　水表/电表　　　　　　　　　　water meter/electricity meter

106. 表达　biǎodá　（动）　　　　　express, convey

　　表达思想/心情　　　　　　　　express one's thoughts/feeling

　　流利地表达　　　　　　　　　convey fluently

107. 表面　biǎomiàn　（名）　　　　surface

　　物体的表面　　　　　　　　　the surface of an object

　　表面现象　　　　　　　　　　superficial phenomenon

　　表面上很热情　　　　　　　　appear to be warm-hearted

108. 表明　biǎomíng　（动）　　　　make clear, manifest, indicate, show

　　表明态度/意见　　　　　　　　make clear one's position/opinion

　　清楚地表明　　　　　　　　　show clearly

109. *表示　biǎoshì　（动）　　　　show, express, indicate

　　摇头表示不同意　　　　　　　shake head to indicate disagreement

　　我向他点点头,表示打招呼。　　I nodded to him as a way of greeting.

110. 宾馆　bīnguǎn　（名）　　　　　guesthouse, hotel

　　住宾馆　　　　　　　　　　　stay in a guesthouse

111. 兵　bīng　（名）　　　　　　　soldier

　　当兵　　　　　　　　　　　　join the army

　　炮兵　　　　　　　　　　　　artilleryman

112. 冰　bīng　（名）　　　　　　　ice

　　结冰　　　　　　　　　　　　freeze

　　冻成了冰　　　　　　　　　　frozen

　　冰啤酒　　　　　　　　　　　iced beer

一、请从左页中选择合适的词语填入括号：

1. 他的日程（　　）上每天都安排得满满的。

2. 大家都说小李是个（　　）的好丈夫。

3. 他（　　）上很勇敢，可心里很害怕。

4. 你的文章里有许多（　　）用得不对。

5. 你的普通话说得很（　　）。

6. 他的心冷得像一块（　　）。

7. 你用体温（　　）量量，看发烧不发烧。

8. 我在到那儿以前，已经请当地的朋友找好了（　　）。

9. 该校的学费（　　）是：每人每学期三千元。

10. 他去云南当了三年（　　）。

11. 天太热，拿杯（　　）水来。

二、选择合适的词语填空：

1. A. 表达　　B. 表明　　C. 表现　　D. 表示

(1) 政府没有_____对这件事的态度。

(2) 这些情况都_____明年市场将有很大的变化。

(3) 他其实很有想法，可不善于用语言_____。

(4) 傣族泼水节时，人们互相往对方身上洒水，_____祝福。

(5) 很难用语言_____我此时的心情。

(6) 当这个机器发出三次"嘀（dī）嘀"的声音时，_____工作已经完成。

(7) 他心里也很生气，可脸上没_____出来。

2. A. 外面　　B. 表面

(1) 因为用了很久了，箱子的_____都磨坏了。

(2) 科学家对月球_____的石头进行了研究。

(3) 这东西爱碎，所以他又在_____包了两层布。

(4) 我们_____没说什么，心里却为他担心。

三、将下列词语填入句中合适的位置：

1. 这些 A 不合格的产品都没有 B 国家 C 的卫生 D 标准。

　　　　　　　达到

2. 我心里明白，可表达 A 出 B 来。

　　　　　　不

3. 把 A 西瓜 B 放到 C 凉水里 D。

　　　　冰一冰

113. 饼干 bǐnggān （名）	cookies, cracker, biscuit
一包饼干	a pack of cookies
114. 病房 bìngfáng （名）	ward (of hospital)
住进病房	hospitalized
115. 病菌 bìngjūn （名）	germ
消灭病菌	kill germs
116. 病人 bìngrén （名）	patient
看望/照顾病人	visit/look after the patient
117. 并 bìng （副）	co-, simultaneously
并用/并存	use simultaneously/co-exist
118. 并 bìng （动）	combine, merge
并排/并列	side by side/stand side by side
肩并着肩	shoulder by shoulder
119. 并且 bìngqiě （连）	besides, as well as
他会英语,并且会法语。	He knows English and also French.
这种水果我见过,并且尝过。	I've not only seen this kind of fruit, but also tasted it.
120. 玻璃 bōli （名）	glass
玻璃窗	glass pane
玻璃纸	cellophane, glassine
121. 伯父/伯伯 bófù/bóbo （名）	uncle (a respectable term to address males of about one's father's age)
二伯父/二伯伯	one's father's 2nd elder brother
伯父,您好。	Hello, Uncle.
122. 伯母 bómǔ （名）	aunt (a respectable term to address females of about one's mother's age)
三伯母	wife of one's father's 3rd elder brother
伯母,请进。	Please come in, Aunt.
123. 脖子 bózi （名）	neck
伸长脖子看	extend one's neck to look
124. 捕 bǔ （动）	catch, capture
捕到了鱼/虫	have caught fish/insects
125. 补 bǔ （动）	mend, repair
帮你补补衣服	help you mend clothes

一、请从左页中选择合适的词语填入括号：

1. 我学会了中文，（　　）了解了中国文化。

2. 他手脚（　　）用才爬了出来。

3. 咱们把这些桌子（　　）在一起吧。

4. 早晨，护士给每个（　　）里的（　　）发药。

5. 手上带着（　　），所以要好好洗洗。

6. 你伸着（　　）往外看什么呢？

7. 你毛衣上有个洞，怎么不（　　）一下？

8. 他年纪那么大，还经常出海（　　）鱼。

9. （　　）擦得真干净。

10. （　　）、（　　），您二位过年好！

11. 放学了，他俩肩（　　）肩走回家。

二、填量词：

1. 教室墙上贴着一＿＿＿＿＿＿课程表。

2. 我的早餐就是几＿＿＿＿＿＿饼干。

3. 窗户上有＿＿＿＿＿＿玻璃打碎了。

三、将下列词语填入句中合适的位置：

1. A 两张桌子 B 放在 C 前面 D。

　　　　　　并排

2. 我们 A 各种方法 B，终于解决了这个难题。

　　　　　　并用

3. 他修好了机器，A 今天 B 用的时间 C 比平时短得多。

　　　　　　并且

4. 我很忙，A 我 B 也 C 不太愿意去。

　　　　　　并且

四、选择合适的补语填空：

　　A. 起来　　B. 上　　C. 下来　　D. 开　　E. 出　　F. 成

1. 这两家航空公司已经并＿＿＿＿＿＿一家大公司了。

2. 天太冷，放在屋外的牛奶都冻＿＿＿＿＿＿冰了。

3. 把这些肉放进冰箱冻＿＿＿＿＿＿吧。

4. 多练才能用汉语流利地表达＿＿＿＿＿＿自己的思想。

5. 他避＿＿＿＿＿＿所有的人，一个人跑到了西藏。

6. 我去晚了，没报＿＿＿＿＿＿名。

7. 这条有明代特点的街道被保留了＿＿＿＿＿＿。

126. 补充　bǔchōng　（动）　　　add, replenish, complement
　　　补充一点意见　　　　　　　another supplementary suggestion
　　　补充说明　　　　　　　　　additional explanation
127. 补课　bǔ kè　　　　　　　　make up a missed lesson, do over again sth. not well done

　　　补两节课　　　　　　　　　make up two missed lessons
　　　结婚后，我才开始补做饭　　I made up the lesson of cooking only after I got
　　　这一课。　　　　　　　　　married.
128. 补习　bǔxí　（动）　　　　　take lessons after school or work, tutor
　　　每周补习两次　　　　　　　take lessons after school twice a week
129. *不　bù　（副）　　　　　　no, not
　　　找不到　　　　　　　　　　cannot find
　　　吃不完　　　　　　　　　　cannot eat up
130. 不必　bùbì　（副）　　　　　need not
　　　不必担心/客气　　　　　　need not worry/stand on ceremony
131. 不大　bùdà　（副）　　　　　not very
　　　不大高兴/说话　　　　　　not very happy/do not talk much
132. *不但　bùdàn　（连）　　　　not only (used correlatively with "反而" or "反倒", indicating the result turns out to be out of the expectation)

　　　他不但没得到赞扬，反倒受到　He not only failed to get praised but was criticized
　　　了批评。　　　　　　　　　instead.
133. 不得不　bù dé bù　　　　　have no choice but, have to
　　　不得不改变计划　　　　　　have to change the plan
　　　不得不重新做　　　　　　　have to redo it
134. 不得了　bù déliǎo　（形）　　terrible, horrible, desperately serious
　　　不得了了，羊全跑了！　　　It's terrible! All sheep are gone.
　　　这个孩子将来一定不得了。　The child will be somebody in the future.
　　　累得不得了　　　　　　　　terribly tired
135. 不断　bùduàn　（副）　　　　unceasingly; continuously
　　　不断进步/发展　　　　　　progress/develop continuously
136. 不敢当　bù gǎndāng　　　　I really don't deserve this; it's too much of an honour (a kind of modest remark).

　　　——听说你是这儿最好的老师。——I heard that you are the best teacher here.
　　　——不敢当，不敢当。　　　——I really don't deserve this.

一、请从左页中选择合适的词语填入括号：

1. 这个课文的意思我还（　　）理解。

2. 公园太大了，一天逛（　　）完。

3. 他的肚子疼得（　　）。

4. 你叫我"音乐家"，我可（　　），我只是会唱几首歌。

5. 这个国家正（　　）发生着变化。

6. 这么重要的东西要是丢了可（　　）。

7. 天气太差，飞机场（　　）关闭了。

8. 我看（　　）出来照片上的人是谁。

9. 我好几天没来上课，请你帮我（　　）一下，好吗？

10. 上星期因为过节，没上课，今天（　　）。

11. 病人身体还很弱，需要（　　）营养。

二、选择合适的词语填空：

1. A. 补充　　B. 增加
   (1) 刚才你们说得很好，还有一点我要＿＿＿＿一下。
   (2) 麦当劳餐厅最近又＿＿＿＿了为顾客提供爱心雨伞的服务项目。

2. A. 不必　　B. 不必要
   (1) 介绍课文的时候，那些＿＿＿＿的内容可以不说。
   (2) 还有半个多小时呢，你＿＿＿＿那么早去。

3. A. 必须　　B. 不得不
   (1) 电梯坏了，我＿＿＿＿自己走上去。
   (2) 你＿＿＿＿在十号以前把论文交上来。

4. A. 不断　　B. 一直
   (1) 他在上中学以前，＿＿＿＿生活在南京。
   (2) 因为有了好的政策，农村的生活水平也＿＿＿＿提高了。
   (3) 地球环境正在＿＿＿＿受到破坏。

三、判断正误，对的划"√"，错的划"×"：

1. 他不但不紧张，倒对着大家微笑。　　（　　）

2. 我帮了他，他不但不感谢我，倒躲起我来。　　（　　）

3. 吃了那么长时间药，感冒不但好了，倒更厉害了。　　（　　）

23

137. 不管　bùguǎn　（连）

不管天气好不好，我都要去。

不管困难多么大，我也要干。

no matter

No matter what kind of weather it is, I will go.

No matter how big the difficulty is, I will do it.

138. 不过　bùguò　（连）

那儿比较远，不过开车去还
是很方便。

but

It's far from here, but it's convenient if we go there by car.

139. 不好意思　bù hǎoyìsi

很不好意思

不好意思地说

embarrassed, shy, feel impolite (to do sth.)

feel embarrassed

say shyly

140. 不仅　bùjǐn　（连）

那儿不仅风景好，而且空气
也好。

他不仅不生气，反倒大笑起来。

not only

That place not only commands a good view but also has fresh air.

Far from feeling annoyed, he burst into laughter.

141. 不论　bùlùn　（连）

不论哪个民族，都应受到尊重。

不论平时还是假日，他都很忙。

no matter, whatever

All nationalities should be respected.

No matter it is weekday or holiday, he is always busy.

142. 不平　bùpíng　（形）

心里很不平

为他感到不平

indignant

feel indignant

feel indignant on his behalf

143. 不然　bùrán　（连）

快起床吧，不然要迟到了。

otherwise, or

Get up quickly; otherwise, you will be late.

144. 不少　bùshǎo　（形）

不少国家/问题

写得不少

many, quite a few

many countries/problems

write quite a lot

145. 不是吗　bù shì ma

你其实很想去，不是吗？

isn't it?

You really want to go, don't you?

一、请从左页中选择合适的词语填入括号：

1．他爱她，不过（　　）告诉她。

2．这正是你想得到的结果，（　　）？

3．这儿的东西（　　）不好，而且很贵。

4．为什么不让我参加比赛？我心里很（　　）。

5．因为他住得远，每天都把（　　）时间花在上班的路上。

6．我得和朋友一块儿干，（　　）我一个人完不成。

7．他访问过（　　）有名的作家。

8．（　　）对谁，他都很有礼貌。

9．我的同学来借钱，我（　　）不借给他。

10．（　　）你不知道，我也不知道。

11．这件衣服很好，（　　）我穿不太合适。

12．不要吃那么多羊肉，（　　）你会肚子不舒服的。

二、选择与划线词语意思最相近的解释：

1．<u>不管</u>刮风还是下雨，他每天都去夜大学上课。

　　A．不知道　　　B．不仅　　　C．虽然　　　D．无论

2．破坏森林的现象<u>不仅</u>我国有，其他国家也有。

　　A．如果不是　　B．不是　　　C．不但　　　D．无论

3．他喜欢说英语，<u>不过</u>说得不太好。

　　A．而且　　　　B．可是　　　C．虽然　　　D．不管

4．必须快点儿把这条路修好，<u>不然</u>一下雨就更不好走了。

　　A．如果　　　　B．不管　　　C．而且　　　D．如果不这样的话

5．我跑了<u>不少</u>地方，才找到你要的这个东西。

　　A．比较多的　　B．特别多　　C．几个　　　D．一点儿

三、判断正误，对的划"√"，错的划"×"：

1．不管你愿不愿意，都要参加。　　（　　）

2．我表演不好意思当着大家。　　（　　）

3．我怎样说无论都他不相信我。　　（　　）

4．打扰你休息了，我真不好意思。　　（　　）

5．他不管同意不同意，我都要去。　　（　　）

146. 不行　bùxíng　（形） cannot do, won't do, not acceptable

不做完不行 cannot leave it unfinished

——下午出去吧。 ——Let's go out this afternoon.

——不行，我有事。 ——Sorry, I can't. I have something to do.

147. 不幸　bùxìng　（形） unfortunate

生活很不幸 unfortunate life

不幸发生 happen unfortunately

148. 不许　bùxǔ　（动） not allow, forbid

不许拍照/喝酒 No photos/No drink.

149. 不要紧　bù yàojǐn It doesn't matter. It's OK.

你的伤不要紧。 Your injury is not serious.

下雨也不要紧，我有伞。 It doesn't matter even if it rains. I have an umbrella with me.

他一喊不要紧，把我们都吓了一跳。 It's not serious that he shouted out, but we were all scared.

150. 不一定　bù yīdìng uncertain, not sure, not likely

不一定能买到 not sure to find it in stores

不一定是他干的 cannot say for sure that it is him who did it

151. 不住　bùzhù　（副） continuously, incessantly

不住地摇头/感谢 keep shaking head/expressing appreciation

152. 布置　bùzhì　（动） assign, deploy, arrange, decorate

布置房间/作业 decorate a room/assign homework

153. 步　bù　（名） step

往前走了几步 go forward a few steps

154. 部　bù　（名、量） part, department, unit, ministry; *a measure word for books, movies, etc.*

外部/后部 outside/inside

腿部/脸部 the part of leg/face

教育部/建设部 Department of Education/Construction

一部词典/电影 a dictionary/movie

155. 部队　bùduì　（名） army

当地部队 local army

部队医院 military hospital

一、请从左页中选择合适的词语填入括号：

1. 这（　　）长篇小说前半（　　）还可以，后半（　　）不太好。

2. 1998 年，南方各省（　　）发生了严重的水灾。

3. 听了我的话，他（　　）地点头。

4. 你的病（　　），吃点儿药就好了。

5. 他往前走了几（　　），又站住了。

6. 虽然他是这儿的经理，但也（　　）什么事都知道。

7. 明天要考试，今天不复习（　　）。

8. 晚上 12 点以后，学校（　　）学生进出宿舍楼。

9. 听说她的生活很（　　），丈夫经常打她。

10. 展览大厅已经（　　）好了。

二、选择合适的词语填空：

1. A. 不住　　B. 不断　　C. 不停

(1) 小陈的"道歉公司"成立不久，就_____地有人来请求帮助。

(2) 我刚把自己的想法说出来，他就_____地摇头。

(3) 新产品_____地出现，市场更加繁荣了。

(4) 上了车，司机就_____地跟我说话。

(5) 来参观展览的人都_____地称赞："太棒了！"

2. A. 安排　　B. 布置

(1) 她的房间_____得既简单又漂亮。

(2) 总公司_____他去美国的公司工作三年。

(3) 应该根据你的性格和爱好来_____你的家。

3. A. 部队　　B. 军队

(1) 你在哪个_____工作？

(2) 演员们经常到_____演出。

(3) 他认为国家必须靠强大的_____来保卫和平。

三、将下列词语填入句中合适的位置：

1. 雨还 A 在 B 下 C。
　　　　　　不住地

2. 钱不够 A，B 我借给你 C。
　　　　　　不要紧

3. A 当着你的面 B 批评你的人 C 是 D 坏人。
　　　　　　不一定

156. 部门　bùmén　（名）	department
管理部门	management department
157. 部长　bùzhǎng　（名）	minister
工业部部长	Minister of Industry Department

C

158. *擦　cā　（动）	apply，paint，spread on，put on
擦点油/擦点药	apply ointment/medicine
159. 猜　cāi　（动）	guess，conjecture
猜猜是什么	guess what it is
猜出是他	guess him out
猜不出来	unable to guess out
160. 材料　cáiliào　（名）	material
建筑材料	building materials
历史材料	historical materials
161. *才　cái　（副）	only，just
只有跟朋友在一起,他才	He becomes active only when he is with his
活泼一点儿。	friends.
我们班才十个人。	There are only ten people in our class.
162. 踩　cǎi　（动）	step on，tramp，trample
踩了脚	step on somebody's foot
踩在椅子上	step on a chair
踩坏/踩脏	trample something broken/dirty
163. 采　cǎi　（动）	pick
采茶/采果子	pick tea/fruit
采下来	pick something down
164. 采购　cǎigòu　（动）	make purchase for an organization or enterprise
采购货物/礼物	purchase goods/gifts
165. 采取　cǎiqǔ　（动）	take
采取行动/措施	take action/ measures
166. 采用　cǎiyòng　（动）	adopt，use，employ
采用先进技术/方法	adopt advanced technology/methods
完全/大胆采用	use completely/boldly

一、请从左页中选择合适的词语填入括号：

1. 过年了，人们都忙着去商店（　　）各种商品。

2. 便条上没有名字，我（　　）不出来是谁写的。

3. 快下来，别把我的沙发（　　）脏了！

4. 制作这些家具用的是什么（　　）?

5. 这个事业得到了政府（　　）的支持。

6. 你的手破了，我给你（　　）点儿药。

7. 王（　　）负责这方面的工作。

二、选择合适的词语填空：

1. A. 才　　　B. 只

(1) 记者先生们，目前我_____能告诉你们这些。

(2) 这个公司_____五个人。

(3) _____说了几句话，电话就断了。

2. A. 才　　　B. 就

(1) 只有有准备的人，_____抓得住机会。

(2) 只要我们的节目能给大家带来欢乐，我_____很高兴了。

(3) 只有发展好教育，一个民族_____会更有希望。

3. A. 采用　　B. 采取　　C. 用

(1) 你们要_____措施，保证大楼的安全。

(2) 人们_____了一些新的技术和材料来建造这座体育馆。

(3) 这台机器我不太会_____。

(4) 他是_____藏族的音乐形式创作这首歌曲的。

(5) 他们并没有_____积极的态度来解决这一问题。

4. A. 采购　　B. 买

(1) 我爸爸要过生日了，给他_____什么好呢?

(2) "三八"妇女节快到了，我代表单位给女同志们_____点儿礼物。

三、将下列词语填入句中合适的位置：

1. A 我们 B 每个月 C 工资 D 四百元。

　　　　　才

2. 只有亲自去试一试，A 你 B 能 C 知道自己 D 有多大的能力。

　　　　　才

3. A 我 B 睡了 C 十分钟 D 就被吵醒了。

　　　　　才

29

167. 彩色 cǎisè （名）	color
彩色电视/照片	color TV/photo
168. 餐厅 cāntīng （名）	restaurant，dining room
一家餐厅	a restaurant
169. 藏 cáng （动）	hide
藏钱	hide money
藏起来	go into hiding
170. 草地 cǎodì （名）	meadow，lawn
一片草地	a piece of meadow
171. 草原 cǎoyuán （名）	grassland
一片广阔的草原	a vast stretch of grassland
172. 厕所 cèsuǒ （名）	toilet，restroom，lavatory
上公共厕所	go to public lavatory
173. 册 cè （量）	volume，*a measure word for books*
二十万册	20 thousand volumes
上下册	first & second volumes
174. 测验 cèyàn （动、名）	put to the test；test，measure
测验速度/水平	measure velocity/level
进行一次测验	administer a test
175. 曾 céng （副）	once，formerly
曾去过	have been to a certain place
不曾见过	have not met before
176. 曾经 céngjīng （副）	once
曾经学过/想过	once studied/thought of
177. 插 chā （动）	insert
把……插进/插上	insert... into/plug in
178. 叉子 chāzi （名）	fork
一把叉子	a fork
179. 差 chà （形）	poor，inferior
味道/质量差	taste bad/poor quality
180. 差不多 chà bu duō	similar
想法/颜色差不多	similar thinking/color
长得差不多	look similar
差不多好/高/胖	similar in quality/height/size

一、请从左页中选择合适的词语填入括号：

1．请帮我递过来那把（　　　）。

2．那家（　　　）很不错，菜又好吃又便宜。

3．这本书已经卖出二十万（　　　）了。

4．这里（　　　）是古代齐国的首都。

5．他的水平并不比别人（　　　）。

6．这套古代文学著作共分二十（　　　）。

7．他一下子把刀（　　　）在桌子上。

8．有时候黑白照片比（　　　）照片更动人。

9．他一紧张就想上（　　　）。

10．生活在（　　　）上的人民非常善良、热情。

11．大连市用美丽的鲜花和绿色的（　　　）把自己变成一座漂亮的城市。

12．今天我们要（　　　）一下昨天学过的语法。

二、选择合适的词语填空：

1．A．差不多　　　B．一样

（1）他俩_____同时回国，周医生早一天。

（2）我们俩的想法完全_____。

2．A．藏　　　B．躲

（1）刚下过雨，汽车过来时泥水都飞起来了，你得_____远点儿。

（2）哟，桌子底下还_____着人呢！

（3）一碰到困难他就_____到一边去了，什么事都得别人替他解决。

3．A．曾　　　B．曾经　　　C．已经

（1）过去这里_____是全国最穷的一个县。

（2）《红楼梦》我_____看过好几遍了。

（3）他_____一个人骑自行车游遍中国。

三、判断正误，对的划"✓"，错的划"✗"：

1．我曾经十年在这儿工作过。　　（　　　）

2．他从没爬过这么高的山。　　（　　　）

3．这件衣服很彩色。　　（　　　）

4．你的工作能力比他差不多。　　（　　　）

181. 差点儿　chàdiǎnr　（副）	almost，nearly
差点儿（没）忘了	almost forgot
差点儿就成功了	nearly suceed
差点儿没买到	almost fail to get it；narrowly buy it
182. 拆　chāi　（动）	tear open，take apart，pull down
拆开信封/机器	open a letter/disassemble a machine
拆掉门/房子	pull down the door/house
183. 产量　chǎnliàng　（名）	output，yield
提高产量	increase the output
184. 产品　chǎnpǐn　（名）	products
工业产品	industrial products
185. 产生　chǎnshēng　（动）	produce，engender，come into being
产生影响/结果	produce effect/result
186. 尝　cháng　（动）	taste
尝尝味儿	taste the flavor of
尝一口	take a taste
187. *常　cháng　（副）	standing，constant，often，frequent
常任代表	permanent delegate/representative
友谊常在	Friendship lasts forever.
188. 长期　chángqī　（名）	long term
长期劳累/生病	a long-drawn-out tiredness/illness
长期的研究	a long-term research
189. 长途　chángtú　（形）	distant，long-distance
长途旅行	distant trip
长途电话	long-distance call
190. *场　chǎng　（名）	ground，stage
上场	go on stage
191. 超　chāo　（动）	exceed，surpass，overtake
超车	overtake other cars on the road
超到前面	outstrip to the front
192. 超过　chāoguò　（动）	overtake，surpass
超过前面的人/车	overtake people/cars in the front
超过两年	exceed by two years
不超过二十岁	less than 20 years old

一、请从左页中选择合适的词语填入括号：

1. 坐（　　）汽车去天津比火车快。

2. 他们厂生产的（　　）质量最好。

3. 愿我们的友谊之树（　　）青。

4. 今年的汽车产量（　　）了去年。

5. 快看，该我的朋友上（　　）了。

6. 我（　　）把钥匙忘在屋子里。

7. 他俩（　　）就打起来了。

8. 由于（　　）劳累，他病倒了。

9. 最近学校把旧体育场（　　）了，准备再建新的。

10. 三号运动员已经（　　）到前面去了。

11. 他现在的成绩已经（　　）了所有的同学。

二、选择与划线词语意思最相近的解释：

　　　A. 经常　　　B. 持续的

(1) 这里气候温暖，鲜花常开。　　（　　）

(2) 我们常看到那两位老人在花园里散步。　　（　　）

三、选择合适的词语填空：

1. A. 产生　　　B. 生产

(1) 兄弟两个之间_____了很大的矛盾。

(2) 新疆的土地和气候特别适合于_____甜瓜。

(3) 李亮参加工作以后，思想上_____了很大的变化。

2. A. 长期　　　B. 很长时间

(1) 我研究这个问题已经研究_____了。

(2) 因为他_____在国外生活，所以刚回国时有点儿不习惯。

(3) 经过_____的锻炼，爷爷的身体比以前好多了。

3. A. 差点儿　　　B. 差不多　　　C. 快要

(1) 旅行的人太多了，我_____没买到票。

(2) 我_____把他当成小偷。

(3) 他的作品_____完成了，下个月就能与观众见面。

(4) 出国的手续_____都办好了。

33

193. 抄　chāo　（动）　　　　　copy

　　　把……抄下来　　　　　　copy...down

　　　抄别人的文章/答案　　　　plagiarize other's article/copy other people's answers

194. 抄写　chāoxiě　（动）　　　copy

　　　抄写一份　　　　　　　　make a copy

　　　抄写下来　　　　　　　　copy down

195. 吵　chǎo　（动）　　　　　make a noise, quarrel

　　　吵醒　　　　　　　　　　be waked up by noise

　　　跟他吵起来　　　　　　　quarrel with him

196. 车间　chējiān　（名）　　　workshop

　　　生产车间　　　　　　　　production workshop

197. 彻底　chèdǐ　（形）　　　　thorough, complete

　　　彻底了解/调查　　　　　　research/investigate thoroughly

198. 沉默　chénmò　（形）　　　tacitum, reticent, silent

　　　保持沉默　　　　　　　　keep silent

　　　沉默地坐着　　　　　　　sit silently

　　　性格沉默　　　　　　　　a reticent person

199. 趁　chèn　（介）　　　　　while, avail oneself of

　　　趁你还年轻　　　　　　　while you are young

　　　趁着放假去旅行　　　　　go traveling when it is holiday time

200. 衬衫　chènshān　（名）　　shirt

　　　一件白衬衫　　　　　　　a white shirt

201. 衬衣　chènyī　（名）　　　shirt

　　　衬衣脏了　　　　　　　　The shirt is dirty.

202. 称　chēng　（动）　　　　call, weigh

　　　称我小李　　　　　　　　Call me Xiao Li.

　　　称称体重　　　　　　　　measure the weight

203. 称赞　chēngzàn　（动）　　praise, commend

　　　称赞他　　　　　　　　　praise him

　　　受到称赞　　　　　　　　be commended

204. *成　chéng　（动）　　　　become, turn into

　　　成了冠军/明星　　　　　　became a champion/star

　　　把……写成/当成　　　　　write...into/regard...as

一、请从左页中选择合适的词语填入括号：

1．我把广告上的电话（　　　）下来了。

2．老师们都（　　　）他学习努力。

3．（　　　）哥哥不注意，我往他的菜里放了点儿辣油。

4．这件西服里面穿什么颜色的（　　　）合适？

5．他太骄傲，所以在单位里（　　　）了不受欢迎的人。

6．如果是一头大象，你怎样（　　　）它的重量？

7．我和姐姐很像，很多人把我当（　　　）她。

8．那个小伙子一直（　　　）地望着窗外。

9．我去看看，外面为什么这么（　　　）。

10．老许当上了（　　　）主任。

11．北京人（　　　）这里是"小吃一条街"。

二、选择与划线词语意思最相近的解释：

1．<u>趁</u>爸爸心情好，我赶紧提出买车的要求。

　　A．在……的时候　　B．这个时候　　C．当　　D．利用……的机会

2．A．热闹　　　B．发生矛盾；激烈争论　　　C．声音大、乱

　　（1）楼上的音乐<u>吵</u>得人无法休息。（　　　）

　　（2）他们俩只要在一起就<u>吵</u>。（　　　）

三、选择合适的词语填空：

1．A．表扬　　B．称赞

　　（1）萨马兰奇（Sàmǎlánqí）主席_____邓亚萍（píng）为乒乓球事业作出了巨大贡献。

　　（2）他最近口语很有进步，老师_____了他好几次。

　　（3）凡是到过桂林的人，谁不_____它的美丽呢？

2．A．彻底　　B．完全

　　（1）这次你要到医院_____检查一下，看到底得了什么病。

　　（2）我刚到中国来时，_____听不懂中国话。

　　（3）为了总统的安全，要把整个大楼_____检查一遍。

四、把下列词语组成句子：

1．今天　咱们　玩儿玩儿　天好　吧　出去

2．中午　银行　我　休息　去　一趟　了　趁

205. 成分　chéngfèn　（名）　　element, component, composition
　　　几种化学成分　　　　　　　several kinds of chemical elements

206. 成功　chénggōng　（动、形）　succeed; successful
　　　试验/手术成功了　　　　　　The experiment/operation is successful.
　　　一个成功的律师　　　　　　a successful lawyer
　　　成功地完成/解决　　　　　　finish/solve successfully

207. 成果　chéngguǒ　（名）　　achievement, results
　　　取得……成果　　　　　　　make achievement of...

208. 成就　chéngjiù　（名）　　accomplishment, achievement
　　　突出的科学成就　　　　　　outstanding scientific accomplishments

209. 成立　chénglì　（动）　　establish, set up
　　　成立公司/学校　　　　　　set up a company/school
　　　正式成立　　　　　　　　　officially establish
　　　纪念……(的)成立　　　　commemorate the establishment of...

210. 成熟　chéngshú　（形）　　ripe, mature
　　　庄稼成熟了　　　　　　　　The crops have ripened.
　　　成熟的性格/作品　　　　　　mature personality/writing

211. 成为　chéngwéi　（动）　　become
　　　成为艺术家/朋友　　　　　　become an artist/friends
　　　成为习惯/现实　　　　　　become habit/reality

212. 成长　chéngzhǎng　（动）　　grow up
　　　健康成长　　　　　　　　　grow up healthily

213. 乘　chéng　（动）　　ride
　　　乘火车/乘飞机/乘船　　　　take train/plane/boat

214. 程度　chéngdù　（名）　　degree, level, extent
　　　文化/发展程度　　　　　　level of education/development
　　　程度很高　　　　　　　　　high level

215. 诚恳　chéngkěn　（形）　　sincere
　　　对人诚恳　　　　　　　　　have a sincere attitude towards people
　　　诚恳的态度　　　　　　　　sincere attitude

216. 诚实　chéngshí　（形）　　honest
　　　说话诚实　　　　　　　　　speak honestly

一、请从左页中选择合适的词语填入括号：

1. 中国古代在哲学、医学、数学等方面都取得过伟大的（　　　）。

2. 应该把大学里的研究（　　　）应用到生产中去。

3. 在社会上工作了几年以后，他逐渐（　　　）起来了。

4. 这些东西里的一些化学（　　　）对人身体有害。

5. 很多农村的青年文化（　　　）不高。

6. 画家黄永玉在中国画艺术和文学方面都有很高的（　　　）。

7. 他是一个（　　　）的企业家。

8. 这个研究所是五年前（　　　）的。

9. 试验终于取得了（　　　）。

10. 你可以（　　　）飞机到上海。

11. 这些庄稼新品种能（　　　）得更好。

二、选择合适的词语填空：

1. A. 成就　　B. 成绩

(1) 他的短跑＿＿＿＿很好。

(2) 二十年来，中国的经济改革取得了巨大＿＿＿＿。

(3) 上海市在改善城市面貌方面＿＿＿＿突出。

2. A. 成为　　B. 变成

(1) 经过多年的努力宋华终于＿＿＿＿一名歌唱家。

(2) 仿佛在一夜之间，她就＿＿＿＿一个人人都知道的大明星。

(3) 汽车已开始＿＿＿＿中国普通老百姓日常的交通工具。

(4) 现代的科学技术把人类的许多梦想＿＿＿＿了现实。

3. A. 程度　　B. 水平

(1) 各个地区的教育＿＿＿＿是不一样的。

(2) 在一个班里，学生的＿＿＿＿有高有低。

(3) 美国和加拿大的农业现代化＿＿＿＿很高。

4. A. 诚实　　B. 诚恳

(1) 我喜欢＿＿＿＿的人，不喜欢说假话的人。

(2) 他的态度非常＿＿＿＿，我只好原谅他了。

(3) 为了让他理解你，你必须＿＿＿＿地跟他谈一谈。

217. 承认　chéngrèn　（动）　　admit, acknowledge, recongnize
　　　承认错误　　　　　　　　admit one's mistakes
　　　得到承认　　　　　　　　get recognized
218. *吃　chī　（动）　　　　　have one's meal
　　　吃食堂/吃饭馆　　　　　　dine in cafeteria/dine out
219. 吃惊　chī jīng　　　　　　surprise, startle, shock
　　　感到吃惊　　　　　　　　feel surprised/shocked/startled
　　　吃了一惊　　　　　　　　be surprised/shocked/startled
220. 尺　chǐ　（名、量）　　　　ruler; *chi*, *a unit in Chinese measurement for length*, *3 chi = 1 meter*）

　　　量衣尺　　　　　　　　　ruler, yardstick
　　　二尺长　　　　　　　　　two-*chi* long
221. 翅膀　chìbǎng　（名）　　　wing
　　　一对翅膀　　　　　　　　a pair of wings
　　　插上了翅膀　　　　　　　put on wings
222. 充分　chōngfèn　（形）　　　full, ample, adequate
　　　理由充分　　　　　　　　adequate reasons
　　　准备得很充分　　　　　　fully prepared
　　　充分利用/说明　　　　　　fully use/explain
223. 充满　chōngmǎn　（动）　　　full of, filled with, brimming with
　　　充满阳光/欢乐　　　　　　permeated with sunshine/joy
　　　充满信心/希望　　　　　　full of confidence/hope
224. 充足　chōngzú　（形）　　　adequate, sufficient
　　　充足的理由/人力　　　　　adequate reasons/manpower
　　　光线/资源充足　　　　　　The light/resource is sufficient.
225. 冲　chōng　（动）　　　　　charge, rush, pour boiling water on
　　　冲到前面　　　　　　　　rush to the front
　　　冲进去　　　　　　　　　rush to the inside
　　　冲一杯咖啡　　　　　　　make a cup of coffee
226. 虫子　chóngzi　（名）　　　insect, worm
　　　一条虫子　　　　　　　　a worm
227. 重　chóng　（副）　　　　　over again
　　　重写/重修　　　　　　　　rewrite/rebuild
228. 重叠　chóngdié　（动）　　　overlap, stack
　　　重叠起来　　　　　　　　put one on top of another

38

一、请从左页中选择合适的词语填入括号：

1. 第一个（　　）中华人民共和国的欧洲国家是法国。

2. 看到有人打他的狗，他马上（　　）了过去。

3. 她最害怕小（　　）。

4. 为解决企业机构（　　）的问题，他们对企业进行了改革。

5. 这家餐厅不贵，今天我们六个人才（　　）了七十元。

6. 谁看到他的样子都会（　　）。

7. 我真希望插上（　　），飞到你身边。

8. 这种电子车票可以（　　）使用。

9. 他身高五（　　）。

10. 看到我来了，他（　　）了一（　　）。

二、选择与划线词语意思最相近的解释：

1. 看他没听清，我又<u>重</u>说了一遍。

　　A. 不轻　　　　B. 重叠　　　　C. 重新

2. 他自己不做饭，整天<u>吃</u>食堂。

　　A. 食用　　　B. 在……吃饭　　　C. 按……钱数标准吃饭

三、选择合适的词语填空：

1. A. 又　　B. 还　　C. 重　　D. 再

　　(1) 新一代的艺术家们决定_____演二十年前的话剧《茶馆》。

　　(2) 本来这部戏计划演三场，由于观众要求，_____加了两场。

　　(3) 看他没听懂，我就_____说了一遍。

　　(4) 那个地方太有意思了，以后有机会我一定_____去。

　　(5) 我对自己的文章不太满意，许多地方都要_____写。

　　(6) 你怎么_____回来了？是不是忘了带钥匙？

2. A. 充足　　B. 充满　　C. 充分

　　(1) 一个星期过去了，船上的水和吃的都不太_____了。

　　(2) 这些事_____说明，让人们懂得法律非常重要。

　　(3) 快过新年了，到处都_____了节日的气氛。

　　(4) 他帮助了我，我心里对他_____了感激。

　　(5) 你的理由不_____，我不能答应你的要求。

229. 重复 chóngfù （动）	repeat, redundant
内容重复	redundant content
重复使用	repeated use
230. 重新 chóngxīn （副）	again, once more, start afresh
重新出版	republish
重新写/布置	rewrite/rearrange
231. 崇高 chónggāo （形）	lofty, noble
崇高的品格/理想	noble character/ideals
232. *抽 chōu （动）	take out (from in between), extract
抽出时间/人/钱	manage to find time/people/money
233. 抽象 chōuxiàng （形）	abstract
抽象的概念	abstract concept
234. 愁 chóu （动）	worry
不愁吃/工作的事	have no worry about food/work
235. 臭 chòu （形）	smelly, stinking
臭味	bad smell
臭极了	very offensive odour
236. 初 chū （形）	initial, beginning
初冬	early winter
年初	at the beginning of a year
初到北京	first visit to Beijing
237. 初步 chūbù （形）	preliminary, initial
初步的意见/计划	preliminary views/plan
初步了解/决定	initial understanding/decision
238. 初级 chūjí （形）	elementary, primary
初级阶段/水平	elementary stage/level
239. *出 chū （动）	vent, give out, show up, emerge
出汗/出气	sweat/vent one's anger
出太阳了	The sun rises.
240. 出版 chūbǎn （动）	publish
出版新书	publish new books
241. 出口 chūkǒu （动）	utter, export
出口伤人	speak bitingly
大量向外国出口	a large amount of exports to foreign countries

一、请从左页中选择合适的词语填入括号：

1. 虽然在北京时间很短，但他还是（　　）时间参观了不少地方。

2. 我问他这张画儿的价钱，他一（　　）就是一千块。

3. 历史对于现在的中学生来说太（　　）了。

4. 我的汉语还是（　　）水平。

5. 各个学校都（　　）了留学生来参加"外国人唱中国歌"的比赛。

6. 汽车是德国的主要（　　）产品之一。

7. 肉忘了放进电冰箱，都（　　）了。

8. 你的专业很好，毕业以后不（　　）找不到工作。

9. 小时候父母告诉我从小要有（　　）的理想。

10. 我们（　　）决定下星期五考试。

11. 这本书三年后又重新（　　）了。

二、选择与划线词语意思最相近的解释：

1. A 从里面到外面　　B. 发出　　C. 显（xiǎn）现　　D. 发泄（xiè）

(1) 不知道什么原因，小东皮肤上出了许多血点儿。　（　　）

(2) 他病得出不了门。　（　　）

(3) 有月亮时，星星就出得少了。　（　　）

(4) 我有一肚子的气没地方出。　（　　）

(5) 别出声音，他刚睡着。　（　　）

(6) 雨停了，出太阳了。　（　　）

2. A. 刚开始的　　B. 开始的部分　　C. 第一次　　D. 刚刚

(1) 这是我初次上台，紧张得不得了。　（　　）

(2) 学校将在九月初开学。　（　　）

(3) 我初到上海时，一下子就被这里的商业文化吸引住了。　（　　）

(4) 初春时，桃花、迎春花开了满山，好看极了。　（　　）

三、选择合适的词语填空：

A. 重　　B. 重新　　C. 重复

1. 你们定的计划有点儿问题，请＿＿＿＿＿＿考虑一下。

2. 你寄给我的材料是＿＿＿＿＿＿的。

3. 大家注意，我们把刚才的动作再＿＿＿＿＿＿一遍。

242. 出生　chūshēng　（动）	be born
哪年出生	born in which year
出生于	be born in...
243. 出席　chū xí	attend
准时出席会议	attend the meeting on time
244. 出院　chū yuàn	leave hospital
早日出院	leave hospital soon
245. 厨房　chúfáng　（名）	kitchen
下厨房	do cooking
246. 除　chú　（动）	remove, eliminate, get rid of
除虫/除草	eliminate insects/weeds
247. 处　chǔ　（动）	get along
和……处得很好	get on well with...
248. 处分　chǔfèn　（名、动）	punishment; punish
给他处分	give him punishment
处分了他	take disciplinary action against him
249. 处理　chǔlǐ　（动、名）	address, treat, handle, deal with; dealing with, handling
处理问题/关系	address problems/deal with relationship
得到处理	get addressed
250. 处　chù　（名）	place, division, department
拐弯处	turning point（place）
办事处/学生处	agency, office/Office of Student Affairs
251. *穿　chuān　（动）	cross, pass through
穿过树林/马路	pass through the forest/cross a street
252. 传　chuán　（动）	pass, spread, pass on
把球传过来	pass the ball over
把技术传给儿子	hand down the skill to one's son
传来了好消息	good news arrived
253. 传播　chuánbō　（动）	disseminate, spread
传播知识/经验	disseminate knowledge/share experience
广泛/迅速传播	widely/quickly disseminated
254. 传统　chuántǒng　（名）	tradition
发扬传统	carry on the tradition
传统思想	traditional thinking

一、请从左页中选择合适的词语填入括号：

1. 他在宿舍里喝酒，学校（　　）了他。

2. 夏天吃一点儿蒜可以（　　）病。

3. 我跟我同屋（　　）得很好。

4. 我们（　　）过一片小树林，来到了一个村子。

5. 这些红木家具是我奶奶（　　）给我的。

6. 请帮我把这些答卷（　　）给坐在你后边的同学。

7. 请在这儿填上你的（　　）日期。

8. 手术做完两个星期后就可以（　　）了。

9. （　　）里什么吃的都没有。

10. 春节是中国的（　　）节日。

11. 学校对面就有一个航空售票（　　）。

二、选择合适的词语填空：

1. A. 递　　B. 传

(1) 他_____给我一张报纸，让我看上面的广告。

(2) 厨房里_____出了水声。

2. A. 地方　　B. 处

(1) 一下火车我就马上找住的_____。

(2) 前面拐弯_____有个咖啡馆。

3. A. 出席　　B. 参加

(1) 下午他要_____一个技术交流会。

(2) 明天礼堂有个联欢活动，你_____吗？

(3) 我作为学生代表_____了昨天的会议。

4. A. 传　　B. 传播

(1) 这是我的私事，我不希望你把它到处_____。

(2) 丝绸之路把中国文化_____到世界各地。

(3) 大家都在_____：我们公司可能要并到 M 公司了。

5. A. 办　　B. 处理

(1) 单位里还有许多事要_____，我得早点儿回去。

(2) 他严重违反了纪律，必须严肃_____。

255. 闯　chuǎng　（动） rush, break in
　　闯进门 break in
　　闯红灯 hit the red light
256. 创　chuàng　（动） create, start, initiate
　　创出事业/好成绩 start an undertaking/achieve good results
257. 创造　chuàngzào　（动、名） create; creation, invention
　　创造历史/幸福 make history/bring about happiness
　　新的/伟大的创造 new/great creation
258. 创作　chuàngzuò　（动、名） write, create; creation
　　创作小说/歌曲 write novels/songs
　　搞艺术创作 engage in artistic creation
259. *吹　chuī　（动） blow
　　吹来一阵风 Here comes a light breeze.
260. 春节　Chūn Jié　（名） the Spring Festival
　　过春节 celebrate the Spring Festival
261. *词　cí　（名） speech, statement
　　歌词 lyrics of a song
　　忘词儿了 forget the words
262. 此　cǐ　（代） this, now, here
　　此人 this person
　　到此结束 stop here
263. 此外　cǐwài　（连） besides
　　要休息好，此外还要心情愉快。 Take a good rest. Besides, try to have a light heart.
264. 刺　cì　（动） stab, pierce, prick
　　刺到手上 stab on the hand
　　刺伤 stab and wound
265. 聪明　cōngmíng　（形） clever, smart, intelligent, bright
　　聪明人 a clever person
266. 从不/从没　cóng bù/cóng méi never
　　从不抽烟 never smoke
　　从没来过 have never been here
267. 从……出发　cóng……chūfā start from
　　从国家利益/实际出发 start from the national interests/reality
268. 从此　cóngcǐ　（连） from now on, from then on
　　他在这儿买了房子，从此有了自己的家。 He bought a house here. From then on he got his own home.

44

一、请从左页中选择合适的词语填入括号：

1. 海风（　　）起了她的长发。

2. 本公司已经派人去调查（　　）事了。

3. 懂得怎样组织大家的人，是一个（　　）的人。

4. 他上课（　　）迟到。

5. 我（　　）见过这么大的西瓜。

6. 经检查是质量有问题，商店经理没（　　）儿了，只好承认了错误。

7. 他被刀子（　　）伤了手。

8. 今年（　　）我是在海南岛度过的。

9. 这个单位需要改变管理方式，（　　）还需要引进人才。

10. 如果工厂的生产从顾客的利益（　　），它的产品就会受到欢迎。

11. 三年前我考到了北京，（　　）再也没回过家。

二、选择合适的词语填空：

1. A. 从不　　B. 从没

(1) 他_____出过国。

(2) 他_____跟同学聊天。

2. A. 此外　　B. 另外　　C. 除了

(1) 这三件文物一件是唐代的，_____两件是汉代的。

(2) 本地区_____要发展石油工业以外，还要发展纺织工业和农产品加工业。

(3) 在北京他只有一个哥哥，_____再没什么亲人了。

(4) 将来我想办一家公司，买一座房子，_____，还想为附近的老人院做些什么。

3. A. 创造　　B. 创作

(1) 他_____的这首歌在"亚洲音乐节"上得了奖。

(2) 幸福的生活是靠我们自己的劳动_____的。

(3) 父母为他_____了很好的生活条件和学习条件，希望他有一个美好的前途。

(4) 赵树理_____了许多关于农民和农村生活变化的好小说。

4. A. 闯　　B. 冲　　C. 创

(1) 他不但喝酒开车，还_____红灯。

(2) 中国人又在国际运动会上_____出了好成绩。

(3) 他没敲门就往里_____。

269. *从……到…… cóng……dào…… | from…to…
从历史到未来,这篇文章 | Everything, from the past to the future, has been
都谈到了。 | covered in this article.

270. 从而 cóng'ér (连) | thus
人口增长太快,从而引起 | The population is increasing too fast, thus created
许多社会问题。 | many social problems.

271. 从来 cónglái (副) | always, never
从来没见过 | have never seen

272. 从事 cóngshì (动) | be engaged in, work on
从事……事业/工作 | be engaged in the undertaking/work of…

273. 粗 cū (形) | thick
粗腿/粗绳子 | brawny legs/thick rope
粗线 | thick lines

274. 醋 cù (名) | vinegar
放点儿醋 | add a little vinegar

275. 促进 cùjìn (动) | promote, accelerate
促进文化交流/发展 | promote cultural exchange/development

276. 催 cuī (动) | urge, press
催他回来 | hurry him back

277. 存 cún (动) | exist, deposit, store
爱情永存 | Love is eternal.
把钱存起来 | deposit money
存车/存行李 | park a car/ check in luggage

278. 存在 cúnzài (动) | exist
存在缺点 | have shortcomings

279. 寸 cùn (量) | *cun, a unit in the Chinese measurement for length, 1/3 decimeter*
长三寸 | 3 *cun* in length
寸土必争 | fight for every inch of the land

280. 措施 cuòshī (名) | measure
采取措施 | take measures

D

281. 搭 dā (动) | put up
搭戏台 | put up a stage

一、请从左页中选择合适的词语填入括号：

1. 两国领导人的会谈（　　　）了两国之间的了解。

2. 保卫祖国的每一（　　　）土地，是军人的责任。

3. 快开车了，他怎么还不来呀！我去（　　　）（　　　）他。

4. 那个人的眉毛又黑又（　　　）。

5. 中国人吃饺子的时候喜欢加点儿（　　　）。

6. 这种车的设计（　　　）一些问题。

7. 爸爸知识丰富，（　　　）历史到文学都有研究。

8. 他（　　　）体育事业已经三十年了。

9. 俄罗斯歌舞团的表演使我们得到了美的享受，并（　　　）了两国人民的友谊。

二、选择合适的词语填空：

1. A. 从而　　　B. 所以
   (1) 那儿正进行着战争，_____你最好不要到那儿去。
   (2) 这一地区经济有了很大发展，_____使文化教育水平也有很大提高。

2. A. 措施　　　B. 办法　　　C. 方法
   (1) 我们要想一个_____让他高兴起来。
   (2) 多跟中国人聊天，是学习汉语最好的_____。
   (3) 政府采取了很多_____来解决老百姓住房紧张的问题。

3. A. 搭　　　B. 建
   (1) 这个房子是用蛋糕_____的。
   (2) 因为缺钱，那座办公大楼两年多了还没_____完。
   (3) 我们在山上_____了座小木屋。

4. A. 存　　　B. 保存　　　C. 保留
   (1) 愿我们之间的友谊永_____！
   (2) 我们先把行李_____在火车站，然后去周围玩儿一玩儿。
   (3) 甜瓜的味道很好，可是不能长期_____。

5. A. 从不　　　B. 从没　　　C. 从来
   (1) 生活在这个小村子里的人们_____见过火车。
   (2) 中国人_____都是爱好和平的。
   (3) 他有什么事都靠自己，_____愿麻烦别人。

282. 答应 dāying （动）	answer, agree
没人答应	Nobody answered.
答应跟他结婚	agree to marry him
283. 答 dá （动）	answer, reply
答对了	answered right
284. 答案 dá'àn （名）	key, answer
写出答案	write out the answer
285. 答卷 dájuàn （名）	answer sheet
写在答卷上	write on the answer sheet
286. 达到 dádào	achieve, obtain
达到目的/要求	achieve the goal/meet the requirement
287. *打 dǎ （动）	fetch, get, buy, ladle, hold up, pack
打水/打饭/打酒	get water/buy meals/wine
打伞/打旗	hold up an umbrella/a flag
打包	pack one's luggage
打手势	make gestures
288. 打扮 dǎban （动）	make up, dress up
爱打扮	fond of dressing up oneself
289. 打倒 dǎdǎo	overthrow
坚决打倒	overthrow resolutely
290. 打扰 dǎrǎo （动）	disturb
打扰你工作/休息	disturb your work/rest
291. 打听 dǎting （动）	ask about, inquire
向……打听情况	ask somebody about something
292. 打针 dǎ zhēn	injection, shot
打了一针	gave an injection
293. *大 dà （形）	eldest; *used behind the adverb* "不", *meaning not very, seldom, rarely*
不大漂亮	not very beautiful
大哥	eldest brother
294. 大胆 dàdǎn （形）	bold, daring
大胆试验	bold experiment
295. 大多数 dàduōshù （名）	majority
大多数人/情况	majority of people/situations

一、请从左页中选择合适的词语填入括号：

1. 你这样一（　　），我都不认识你了。

2. 这几年冬天都不很冷，也不（　　）下雪。

3. 他（　　）了反对派，得到了（　　）人的支持，当上了总统。

4. 你发烧到 39 度，（　　）吧。

5. 科学家们正在努力寻找这个问题的（　　）。

6. 真不好意思，（　　）你休息了。

7. 他（　　）过给我画一幅画儿。

8. 这种商品是哪儿生产的，售货员也（　　）不出来。

9. 他们兄妹失去了联系，哥哥到处（　　）妹妹的消息。

10. 他是个为了（　　）个人目的什么都做得出来的人。

11. 请用钢笔把名字写在（　　）右上角。

二、把下列带"打"的短语按不同的意思分类：

A. 放射；发出　　　B. 做游戏　　　C. 翻动；拉开　　　D. 买；取

E. 举　　　　　　　F. 捆　　　　　G. 身体的某些动作　　H. 操纵（zòng）开关

1. 打手势　　2. 打酒去　　3. 没打票　　4. 打来开水　　5. 打好了行李　　6. 打牌

7. 打着红旗　8. 打伞　　　9. 打电话　　10. 打开灯　　11. 打包带走　　12. 打开书

A.（　　）　　B.（　　）　　C.（　　）　　D.（　　）

E.（　　）　　F.（　　）　　G.（　　）　　H.（　　）

三、选择合适的词语填空：

1. A. 到达　　　B. 达到

(1) 这个工厂的生产设备已_____国际先进水平。

(2) 飞机_____首都机场的时间比平时晚了五分钟。

2. A. 问　　　　B. 打听

(1) 他_____我山本是什么时候回国的。

(2) 我向一位大娘_____去天安门怎么走。

3. A. 大胆　　　B. 勇敢

(1) 我_____地走过去，骑到了大象的背上。

(2) 老陈来这个厂后，进行了_____的改革，很快使厂子有了新面貌。

(3) 即使是失败了，也要_____地面对。

296. 大会 dàhuì （名）	conference, mass meeting
开/参加大会	hold/attend a conference
297. 大伙儿 dàhuǒr （代）	everybody, all
大伙儿的帮助	with the help of everybody
298. 大街 dàjiē （名）	main street, street, avenue
逛大街	stroll around the streets
299. 大量 dàliàng （形）	a large amount of, a lot
大量(的)产品	lots of products
大量增加	increase by a large amount
300. 大陆 dàlù （名）	continent
美洲/中国大陆	American continent/mainland China
301. 大米 dàmǐ （名）	rice
一袋大米	a bag of rice
302. 大批 dàpī （形）	a large quantity of
大批产品/学生	large quantities of products/students
303. 大人 dàren （名）	adult, grownup
听大人讲	heard from adults
304. 大使馆 dàshǐguǎn （名）	embassy
中国大使馆	Chinese Embassy
305. 大小 dàxiǎo （名）	size, adults and children
一家大小	the whole family
大小不合适	The size is not right.
306. 大型 dàxíng （形）	large-scale
大型机器/活动	a huge machine/a big event
307. 大衣 dàyī （名）	overcoat
披件大衣	put on an overcoat
308. 大约 dàyuē （副）	about, approximately, probably, perhaps
大约 3 万人	about 30 thousand people
大约走了	probably left
309. 呆 dāi （形）	slow-witted, stupid, dull
有点儿呆	a little bit dull
310. 呆 dāi （动）	stay
呆在家里	stay at home

一、请从左页中选择合适的词语填入括号：

1. 来北京的时候我只带了一件（　　　）。

2. 一个叫哥伦布的人发现了美洲（　　　）。

3. 这次在北京我只（　　　）了两天就回国了。

4. 明天开（　　　），选举人民代表。

5. 我看见他一下午就在（　　　）上逛。

6. 咱们（　　　）商量商量，怎么样帮助他？

7. 每年三十晚上中央电视台都有一台（　　　）晚会。

8. 今晚（　　　）举办国庆招待会。

9. 南方人喜欢吃（　　　），不太喜欢吃面。

10. 这人怎么（　　　）头（　　　）脑的？

二、选择与划线词语意思最相近的解释：

1. 这双鞋样子很好，就是<u>大小</u>不合适。

    A. 尺寸　　　　B. 长短　　　　C. 大人和小孩

2. 我们一家<u>大小</u>七口人都去看京剧了。

    A. 高个子和矮个子　　　B. 大人和小孩儿

3. 你不听<u>大人</u>的话，一定要站在高凳上，多危险呀！

    A. 个儿高的人　　　　B. 成年人

三、选择合适的词语填空：

1. A. 大概　　B. 大约

  (1) 这个体育场_____能坐下三万人。

  (2) 医生问了问我_____的情况，又做了几项检查，告诉我没事儿。

  (3) 他今天_____不回来了。

  (4) 我把书_____地翻了翻，觉得内容还可以。

  (5) 这两年他写了三部著作，_____一共二十万字。

2. A. 大量　　B. 大批

  (1) _____的游客来到周庄，使这个小地方变得十分拥挤。

  (2) 从工厂里_____流出没有处理过的工业用水，污染了这条河。

  (3) 今年向外国出口的纺织产品将_____增加。

  (4) 有一_____高级管理人才曾是这个学校的学生。

311. *带　dài　（动）　do sth. incidentally, show, appear, contain
　　　帮我带包方便面　get me a bag of instant noodle
　　　带着笑　wear a smile
　　　带点儿甜味　with sweet flavor

312. 代　dài　（名）　dynasty, generation
　　　清代　the Qing Dynasty
　　　下一代　next generation

313. *代表　dàibiǎo　（动）　represent, on behalf of
　　　代表大家/国家　represent all people/one's country

314. 代替　dàitì　（动）　substitute for, replace
　　　用纸代替塑料　replace plastic with paper

315. 袋　dài　（名、量）　bag; *a measure word for bagged things*
　　　塑料袋/纸袋　plastic/paper bag
　　　一袋面　a bag of flour

316. 待　dài　（动）　treat
　　　待人热情/和气　treat people warmly/amiably

317. 担任　dānrèn　（动）　hold the post of
　　　担任……工作　assume the office of...

318. 担心　dān xīn　feel anxious, be worried, be concerned
　　　担心考不好　be concerned about failing the test

319. 单　dān　（形）　single, odd
　　　单人/单音节　a single person/monosyllable
　　　单号/单日子　odd number/odd-numbered days

320. 单　dān　（副）　only
　　　单单批评我　criticize me only

321. 单词　dāncí　（名）　(individual) word
　　　背单词　learn the new words by heart

322. 单调　dāndiào　（形）　monotonous, dull
　　　声音单调　monotonous voice
　　　单调的生活　monotonous life

323. 单位　dānwèi　（名）　unit
　　　时间/计算单位　time unit/calculation unit
　　　文化单位　a cultural unit

一、请从左页中选择合适的词语填入括号：

1．他刚才提的意见不能（　　　）大家的意见。

2．他受不了小城里的（　　　）的生活，一个人跑到了热闹的大上海。

3．这篇课文里的（　　　）特别多，我怎么记也记不住。

4．你在哪个（　　　）工作？

5．人类总是一（　　　）更比一（　　　）强。

6．毛泽东在中国历史中的地位是别人无法（　　　）的。

7．中午我只吃了一（　　　）方便面。

8．上级决定由李东平（　　　）新华印刷厂的厂长。

9．这么多女孩子，你为什么（　　　）喜欢她？

二、把有"带"和"单"的短语按不同的意思分类：

1．A．随身拿着　　　B．顺便做某事　　　C．露出　　　D．含有

(1) 帮我带几个包子回来　　(2) 吃起来带一点儿苦味

(3) 带照片来了　　(4) 带着胜利的微笑

(5) 帮我把门带上　　(6) 没带钥匙

(7) 黄中带绿

A．（　　　）　　B．（　　　）　　C．（　　　）　　D．（　　　）

2．A．一个的　　　B．奇（jī）数的　　　C．只

(1) 单喜欢她　　(2) 单人舞

(3) 单日子　　(4) 单音节

(5) 单号　　(6) 单靠经验

A．（　　　）　　B．（　　　）　　C．（　　　）

三、选择合适的词语填空：

1．A．待　　　B．对　　　C．对待

(1) 我去找商店经理时，他＿＿＿＿我态度非常好。

(2) 船长是个山东人，＿＿＿＿人很热情。

(3) 要正确＿＿＿＿别人的批评。

2．A．担心　　　B．怕

(1) 最好吃药，不打针，我＿＿＿＿疼。

(2) 不要为他＿＿＿＿了，他已经是成人了。

3．A．替　　　B．换　　　C．代替

(1) 五号队员受伤，＿＿＿＿八号队员上场。

(2) 小王家有事，今天来不了，所以孙师傅＿＿＿＿他的班。

(3) 为了保护环境，人们开始用布袋、纸袋＿＿＿＿塑料袋。

324. 但 dàn （连）　　　　　　　　but

虽然12点了,但我还不饿。　　It's 12 o'clock now, but I do not feel hungry.

325. 淡 dàn （形）　　　　　　　light, thin

天高云淡　　　　　　　　　　high sky and thin cloud

味儿太淡　　　　　　　　　　The taste is too light.

326. 蛋 dàn （名）　　　　　　　egg, egg-shaped thing

鸟蛋/鸭蛋　　　　　　　　　bird egg/duck egg

铁蛋儿/石头蛋儿　　　　　　egg-shaped iron/stone

327. 蛋糕 dàngāo （名）　　　　cake

生日蛋糕　　　　　　　　　　birthday cake

328. * 当 dāng （介）　　　　　in sb's presence

当着大家　　　　　　　　　　in the presence of all

329. * 当 dāng （动）　　　　　shoulder responsibility

敢作敢当　　　　　　　　　　have the courage to take the blame for what one does

330. 当……的时候 dāng……de shíhou　while, when

当我伤心的时候　　　　　　when I am sad

331. 当地 dāngdì （名）　　　　local

当地人/习惯　　　　　　　　local people/customs

332. 当年 dāngnián （名）　　　in early years, past

当年的事　　　　　　　　　　things in those years

当年,我们就是在这儿认识的。　In that year, we got to know each other here.

333. 当前 dāngqián （名）　　　present, current

当前的任务　　　　　　　　　the task at present

当前,最重要的事是学习。　　Study is the most important thing at present.

334. 当时 dāngshí （名）　　　　then

当时的情况　　　　　　　　　conditions at that time

当时,还没有电视。　　　　　There was no TV then.

335. 挡 dǎng （动）　　　　　　block, shelter, shield

挡住风　　　　　　　　　　　block the wind

挡在前面　　　　　　　　　　put something at the front as a shield

336. 党 dǎng （名）　　　　　　（political）party

入党　　　　　　　　　　　　join the party

54

一、请从左页中选择合适的词语填入括号：

1. 按照（　　）的习惯，这三杯酒一定要喝下去。

2. 我们是五年前结婚的，（　　）我们并没有举行什么婚礼。

3. （　　），我们刚来这儿的时候，这儿还没有一户人家。

4. 他还没有入（　　）。

5. 他故意（　　）着路不让我过去。

6. 我为她选了一个漂亮的生日（　　）。

7. （　　）最重要的任务是搞好经济建设。

8. 一人做事一人（　　），这事儿是我做的，跟他没关系。

9. 广东菜味比较（　　），不像山东菜那么咸。

10. 两个孩子爬到树上拿鸟（　　）。

11. 感冒虽不是什么大病，（　　）它常使人全身不舒服。

12. 刘伟（　　）着全家人保证："今后决不再抽一根烟！"

13. （　　）我注意到她（　　），她不好意思地转过身去。

二、选择与划线词语意思最相近的解释：

    A. 在（表示时间）　　　B. 面对　　　C. 担任　　　D. 承受

1. 你有意见可以<u>当</u>着我的面说。　　（　　）

2. 他是个敢作敢<u>当</u>的人，如果真是他错了，他一定会承认。　　（　　）

3. <u>当</u>我认出他的时候，我真是又高兴又吃惊。　　（　　）

4. 小杨刚<u>当</u>上了爸爸。　　（　　）

5. <u>当</u>我走出很远时，母亲还在村口向我挥手。　　（　　）

三、选择合适的词语填空：

1. A. 当前　　B. 现在

（1）_____已经很晚了，没有公共汽车了。

（2）_____，要发展好经济，就必须保持社会的和平与稳定。

（3）_____最有希望在今年这次比赛中获得冠军的是德国队。

2. A. 当时　　B. 当年

（1）妈妈年轻的时候可美了，_____有多少男青年都想和她做朋友啊。

（2）_____我正急着出去，没仔细问他情况。

（3）这个皇帝活了八十岁，这在_____应该算是很长寿了。

337. 党员　dǎngyuán　（名）　party member

成为一名党员　become a party member

338. 当　dàng　（动）　use as

一个人当两个人用　use one person as two

339. 当做　dàngzuò　（动）　regard as, consider as, treat as

把星期日当做星期一　take Sunday as Monday

340. 刀子　dāozi　（名）　knife

一把刀子　a knife

341. 岛　dǎo　（名）　island

鸟岛/小岛　bird island/small island

342. 到处　dàochù　（副）　everywhere, all over

到处是人　People are everywhere.

343. 到达　dàodá　（动）　reach, arrive

平安到达　arrive safely

344. 到底　dào dǐ　to the end

斗争到底　fight to the end

345. 到底　dàodǐ　（副）　on earth, after all

到底懂不懂？　Do you understand or not?

346. 倒　dào　（动）　upside down, pour

拿倒了　hold sth. upside down

倒茶/倒垃圾　pour tea/throw out garbage

有苦倒不出来　unable to pour out one's woes

347. 倒(是)　dào(shi)　（副）　*an adverb used to indicate sth. unexpected*

你的普通话倒没有留学生说得好。　Your Putonghua is not so good as foreign students.

348. 道　dào　（动）　say

能说会道　have a glib tongue

349. 道　dào　（名）　road, line

走近道/绕远道　take a short cut/a roundabout way

画一道儿　draw a line

350. 道德　dàodé　（名）　moral, morality

道德高尚　lofty morality

351. 道路　dàolù　（名）　road, way, path

生活道路　way of life

一、请从左页中选择合适的词语填入括号：

1. 孔子教育他的学生要做有（　　）的人。

2. 在人生的（　　）上，不可能一直都是顺利的。

3. 没见面的时候有许多话要说，见了面（　　）不知道该说什么了。

4. 后门有条小（　　），一直通到河边。

5.（　　）是普通群众的榜样。

6. 他拿着一把（　　）逼老王把钱交出来。

7. 我们坐的旅游船向湖中心的小（　　）开去。

8. 你把"尘"字写（　　）了，应该"小"在上边，"土"在下边。

9. 这个姑娘力气很大，干起活来能（　　）两个小伙子。

10. 他遇到了不少困难，但他把这（　　）是最好的锻炼机会。

11. 我们爬了五个小时才（　　）山顶。

二、选择与划线词语意思最相近的解释：

1. A. 说　　B. 量词　　C. 路　　D. 线条

（1）你沿着这条大<u>道</u>一直往前走就能到了。　　（　　）

（2）您帮了我的大忙，我要向您<u>道</u>一声："谢谢!"　　（　　）

（3）他从树林里钻出来时，脸上带着好几条血<u>道</u>。　　（　　）

2. A. 表示想知道准确答案　　B. 到最后

（1）你<u>到底</u>去不去？　　（　　）

（2）虽然我很累了，但一定要坚持<u>到底</u>。　　（　　）

3. A. 跟估计和想像的相反　　B. 表示颠倒（diāndǎo）　　C. 使容器里的东西出来

（1）快把酒给他<u>倒</u>满。　　（　　）

（2）马上要考试了，你<u>倒</u>一点儿也不着急。　　（　　）

（3）练练<u>倒</u>走对人身体有好处。　　（　　）

三、选择合适的词语填空：

1. A. 到处　　B. 每一个地方　　C. 处处

（1）在北京的两年里，我玩遍了_____。

（2）钱包不见了，急得我_____找。

（3）一个人在国外不容易，_____都要小心。

（4）五一节的杭州，_____是人，没法看风景。

57

352. 道歉　dào qiàn　　apologize
　　　主动道歉　　　apologize of one's own accord

353. *得　dé　（动）　（of a calculation）result in
　　　三加三得六。　Three plus three equals 6.

354. 德语/德文　Déyǔ/Déwén　（名）　German
　　　德语/德文杂志　German language/magazine

355. ……的话……　de huà　if
　　　你有空的话,我们去看画展吧。　Let's go to see the painting exibition if you have time.

356. *得　děi　（助动）　will be；be sure to
　　　可能得晚上我们才能到家。　Probably we won't be home until night.

357. 登　dēng　（动）　mount，carry（in newspaper，magazine，etc.）
　　　登长城　climb the Great wall
　　　登广告/消息　carry an ad/a piece of news

358. 登记　dēngjì　（动）　register
　　　详细登记姓名/地址　register names/address in detail
　　　登记结婚　marriage registration

359. 等　děng　（名）　class
　　　一等奖　first prize

360. 等待　děngdài　（动）　wait
　　　等待机会/……的出现　wait for an opportunity/the appearance of...

361. 等于　děngyú　（动）　be equal to，amount to
　　　三加二等于五。　Three plus two equals five.
　　　等于白学/白干　amount to a fruitless learning/labour for nothing

362. *低　dī　（形、动）　low；lower
　　　标准低　low standards
　　　低下了头　hang down one's head

363. 滴　dī　（量）　drop
　　　一滴水/血　a drop of water/blood

364. 敌人　dírén　（名）　enemy
　　　打败/消灭敌人　defeat/eliminate the enemy

365. 的确　díquè　（副）　indeed，really
　　　的的确确不知道　really don't know
　　　的确很好　very good indeed

一、请从左页中选择合适的词语填入括号：

1. 张家界（　　）像你说的那样美。

2. 街道办事处星期一、三、五办理（　　）结婚。

3. 我要找的女朋友应该漂亮、可爱，年龄不（　　）于 25 岁。

4. 他把壶里最后一（　　）酒也喝了。

5. 他 50 岁了，又开始学习（　　）。

6. 如果你不经常练习，学了也（　　）白学。

7. 歌唱比赛中她得了二（　　）奖。

8. 你（　　）快点儿了，大家都等你一个人呢。

9. 亲友们都坐好了，（　　）着新娘新郎的到来。

10. 过去，美国把苏联当做主要的（　　）。

11. 他只用脑算，很快就（　　）出了计算结果。

12. 你准备好了（　　），咱们就出发吧。

13. 是我没有了解情况就批评了你，我向你（　　）。

二、选择与划线词语意思最相近的解释：

A．上　　B．刊（kān）登

1. 中国人有农历九月初九<u>登</u>高的习俗。　（　　）

2. 旅客们已经<u>登</u>机了。　（　　）

3. 我的一篇批评文章在晚报<u>上登</u>出来了。　（　　）

三、选择合适的词语填空：

1. A．的确　　B．确实　　C．真

（1）昨天的事＿＿＿＿是我做得不对。

（2）我＿＿＿＿不愿离开你们。

（3）这个情况是不是＿＿＿＿，调查一下才能知道。

2. A．登记　　B．记

（1）进我们单位找人要先＿＿＿＿。

（2）我已经把他的电话和地址＿＿＿＿在我的笔记本上了。

3. A．级　　　B．等

（1）现在我的汉语水平还在中＿＿＿＿阶段。

（2）苏州是个中＿＿＿＿城市。

366. 底下 dǐxià （名）	under, beneath
桌子/楼底下	under the table/downstairs
367. *地 dì （名）	place
出生地	birth place
世界各地	all over the world
368. 地带 dìdài （名）	region
安全/森林地带	secure/forest region
369. 地点 dìdiǎn （名）	place, site
开会/集合地点	meeting/rally place
370. 地方 dìfāng （名）	local
地方的工作	local work
地方戏	local opera
371. 地面 dìmiàn （名）	ground, land, floor
地面上的高山	high mountains on the land
地面很干净	The floor is clean.
372. 地球 dìqiú （名）	earth
地球环境	the environment of the earth
373. 地区 dìqū （名）	region, area
贫困地区	poor area
374. 地图 dìtú （名）	map
一张世界地图	a map of the world
375. 地位 dìwèi （名）	position, status
社会/国际地位	social/international status
376. 地下 dìxià （名）	underground
地下水/地下停车场	underground water/parking lot
377. 地址 dìzhǐ （名）	address
把地址记一下儿	write down the address
378. 递 dì （动）	pass
递给他那本书	pass him that book
379. *点 diǎn （名）	spot, dot, appointed time, aspect
泥点/油点	muddy spot/oil spot
到点了	It's time to do....
要注意这点	Pay attention to this point.

一、请从左页中选择合适的词语填入括号：

1. 这里的街道和建筑非常有（　　）特色。

2. 他的出生（　　）是河北省唐山市。

3. 我们的约会（　　）是"罗马假日咖啡馆"。

4. 他给我写过一个（　　），可我现在找不到了。

5. 按着（　　）走准没错。

6. 从飞机上看田地、道路、河流和在（　　）上看的感觉不同。

7. 看你，裤子上都是泥（　　）儿。

8. 这位老人在当地的社会（　　）很高。

9. （　　）是我们共同的家园。

二、选择与划线词语意思最相近的解释：

　　A. 中央政府领导下的行政区域（yù）　　B. 当地　　C. 处所　　D. 地区

1. 小黄说话带点儿湖南地方口音。（　　）

2. 几位中央领导最近正在地方检查工作。（　　）

三、选择合适的词语填空：

1. A. 底下　　B. 地下

（1）由于人类的浪费和对环境的破坏，_____水资源正在一天天减少。

（2）超级市场在_____一层。

（3）不知道我们_____住的是谁，昨天那么晚了还放音乐。

（4）井_____的人还没上来呢，到底有什么情况现在还不好说。

2. A. 拿　　B. 递　　C. 传

（1）他_____给我一杯茶，并让我别着急，坐下慢慢说。

（2）材料复印好了就_____到我办公室来吧。

（3）球刚一_____到他手上，就一下子被对方球员抢了去。

（4）我的换班申请已经_____上去了。

3. A. 地区　　B. 地带

（1）我们走了两个多小时，终于到达了安全_____。

（2）这一_____的经济发展水平在全国都算是处在前几名的。

（3）"希望工程"帮助许多贫困_____的儿童重新回到了学校。

（4）古代的商人要沿着丝绸之路，通过沙漠_____，才能到达罗马。

380. *点 diǎn （量）	point, piece, item
提两点意见/要求	make two points of criticism/requirements
381. *点 diǎn （动）	light, kindle
点烟	light a cigarette
点不着	cannot be lit
382. 电报 diànbào （名）	telegram
打个电报	send a telegram
383. 电冰箱 diànbīngxiāng （名）	electric refrigerator
一台电冰箱	a refrigerator
384. 电风扇 diànfēngshàn （名）	electric fan
对着电风扇吹	face an electric fan to get the wind
385. 电视台 diànshìtái （名）	TV station
中央电视台	CCTV
386. 电台 diàntái （名）	broadcasting station
电台的广播	radio broadcasting
387. 电梯 diàntī （名）	elevator, lift
乘/坐电梯	by/take an elevator
388. 电影院 diànyǐngyuàn （名）	cinema
一家/一个电影院	a cinema
389. 店 diàn （名）	inn, shop, store
住店	stay at an inn
药店/副食店	pharmacy/grocery store
390. *掉 diào （动）	fall, lose
掉在队伍后面	fall behind
掉了几个字	dropped a few words
391. 吊 diào （动）	hang
吊着灯	a pendent lamp hung from the ceiling
392. 钓 diào （动）	fish
钓上一条大鱼	catch a big fish
393. 调 diào （动）	transfer
调来/调走	be transfered in/out
394. 调查 diàochá （动、名）	investigate; investigation
调查调查情况/意见	make an investigation/survey opinions
搞市场调查	make a market investigation

一、请从左页中选择合适的词语填入括号：

1. 我们（　　）里没有这种药。

2. 要过节了，我们把许多彩色的小灯（　　）在房顶上。

3. 我在河边坐了半天，一条鱼也没（　　）着。

4. 乘高速（　　）到88层用了不到一分钟就到了。

5. 有了电视以后很多人不爱去（　　）了。

6. 中央（　　）报道了此事，在观众中引起了很大反响。

7. 过去人们有急事要发（　　），现在只要打个长途电话就行了。

8. 天太热，用了（　　）也不凉快。

9. 我三天不在家，放在（　　）里的菜都坏了。

10. 在中国也可以听到日本和韩国的（　　）广播。

二、选择与划线词语意思最相近的解释：

1. A. 点燃　B. 量词，项　C. 表示某个方面　D. 规定的某个时间　E. 小的痕迹（hénjì）

(1) 到<u>点</u>了，该出发了。　（　　）

(2) 在找工作时，自信这一<u>点</u>非常重要。　（　　）

(3) 老师给我的文章提出了两<u>点</u>意见。　（　　）

(4) 火柴可能湿了，半天也<u>点</u>不着。　（　　）

(5) 瞧你吃饭吃得身上到处都是油<u>点</u>。　（　　）

2. A. 落　　B. 落后　　C. 丢

(1) 你们先走吧，我等等<u>掉</u>在后边的同学。　（　　）

(2) 你的文章这个地方<u>掉</u>了两个字。　（　　）

三、选择合适的词语填空：

1. A. 调　　B. 派

(1) 小李被_____到别的部门当经理去了。

(2) 那个地方严重受灾，政府_____去了大批粮食和药品。

(3) 你为什么不_____小赵去谈合同的事？

2. A. 调查　B. 检查

(1) 警察正在_____事故的原因。

(2) 几位记者对农村收费的情况进行了一些_____。

(3) 你再把行李_____一下，别忘带什么东西。

395. 跌　diē　（动）	fall, drop
跌倒/跌伤	fall down/fall and get hurt
跌价	go down/drop/fall in price
396. 顶　dǐng　（名）	top, peak, crown（of the head）
山顶/头顶	on the top of the mountain/head
397. 顶　dǐng　（动）	carry on the head
把……顶在头上	carry sth. on one's head
398. 定　dìng　（动）	calm down, decide, subscribe, order
定下心	compose oneself
定好时间	settle on the time
定报纸/定票	subscribe newspaper/book a ticket
399. 订　dìng　（动）	order, book, make, develop
订措施	make measures
订票/订房间	order tickets/book a room
400. *丢　diū　（动）	put aside, cast aside
专业/知识丢了	throw away one's speciality/knowledge
401. 东北　dōngběi　（名）	north-east
东北方向/东北边	the direction of north-east/north-eastern part
402. 东部　dōngbù　（名）	east
中国的东部地区	eastern part of China
403. 东方　dōngfāng　（名）	the east
太阳在东方。	The sun is in the east.
404. 东面　dōngmiàn　（名）	east
日本在中国东面。	Japan is to the east of China.
东面的窗户	window facing the east
405. 东南　dōngnán　（名）	southeast
东南风/东南沿海地区	wind from southeast/southeast coastal area
406. 懂得　dǒngde　（动）	understand
懂得道理/怎样做	understand the reasons/know how to do
407. *动　dòng　（动）	move, make use of
动动手/脑子	use one's hands/head
搬不动/走不动	unmovable/too weak to walk

一、请从左页中选择合适的词语填入括号：

1. 天坛公园在天安门的（　　）面。

2. 我们已经爬到山（　　）了。

3. 哈尔滨市在北京的（　　）方向。

4. 十年前学过的英语我一直没（　　）。

5. 我（　　）了她的意思。

6. 院子（　　）有一棵大树。

7. 他踢球时（　　）伤了腿。

8. 非洲妇女喜欢把很重的东西（　　）在头上。

9. 换季节的时候，商店里很多东西的价格都（　　）得厉害。

二、把带"丢"和"动"的短语按不同的意思分类：

1. A．遗（yí）失；失去　　B．扔　　C．搁置

（1）把纸随便<u>丢</u>在地上　　（2）自行车<u>丢</u>了　　（3）技术都<u>丢</u>了

（4）<u>丢</u>了多年的外语　　（5）<u>丢</u>了一床　　（6）<u>丢</u>了工作

（7）<u>丢</u>掉机会

A．（　　）　　B．（　　）　　C．（　　）

2. A．改变位置或状态　　B．做出行动　　C．使用　　D．表示动作的结果或可能性

（1）别<u>动</u>他的东西　　（2）别<u>动</u>这钱　　（3）<u>动</u>不了

（4）搬不<u>动</u>　　（5）说<u>动</u>了他　　（6）大家都<u>动</u>起来了

（7）光<u>动</u>嘴，不<u>动</u>手　　（8）不<u>动</u>脑子　　（9）推不<u>动</u>

A．（　　）　　B．（　　）　　C．（　　）　　D．（　　）

三、选择合适的词语填空：

1. A．东方　　B．东面　　C．东部　　D．东边

（1）上海是中国_____的一个最发达的城市。

（2）中国的_____是太平洋。

（3）太阳还在_____，那么现在可能还不到8：30。

2. A．定　　　B．订

（1）刚旅行完回来，还不能马上_____下心来学习。

（2）他俩结婚的日子由双方家长来_____。

（3）今天王经理要去跟他们公司_____合同。

（4）出门的人太多了，飞机票都_____不上。

（5）你们最后商量_____了在哪里吃饭？

65

408. 动人 dòngrén （形）	moving, touching, engaging
故事很动人	a moving story
笑得动人	an engaging smile
409. 动身 dòng shēn	set out, start off
明早动身	set out tomorrow morning
410. 动手 dòng shǒu	start, set to work
早点儿动手准备	start preparation early
411. 动物园 dòngwùyuán （名）	zoo
参观动物园	visit the zoo
412. 动员 dòngyuán （动）	mobilize
动员全班/大家	mobilize the whole class/everybody
413. 动作 dòngzuò （名）	movement, action
做完动作	finish the body movement
414. 冻 dòng （动）	freeze, feel very cold
把……冻起来	freeze something
冻死	freeze to death
415. 洞 dòng （名）	hole, cave
山洞	mountain cave
进洞	go inside the cave
416. 斗争 dòuzhēng （动、名）	struggle against, fight; struggle, conflict
坚决斗争	fight resolutely
思想斗争	ideological struggle
417. 豆腐 dòufu （名）	bean curd
一块豆腐	a cake of bean curd
418. 逗 dòu （动）	tease, play with, tantalize
逗逗小动物	play with animals
逗笑	provoke laughter
419. 独立 dúlì （动）	independence
国家独立	national independence
独立生活	live independently
420. 读书 dú shū	read, study
读一会儿书	read for a while
421. 读者 dúzhě （名）	reader
读者服务部	bookstore attached to a publishing house

一、请从左页中选择合适的词语填入括号：

1. 中国决不允许台湾（　　　）。

2. 这本杂志拥有许多（　　　）。

3. 内蒙古遭受了严重的雪灾，单位（　　　）大家为灾区献爱心。

4. 姑娘们跳起了（　　　）的舞蹈。

5. 要不要离开这儿，我也有过思想（　　　）。

6. 现在我们来学习太极拳的基本（　　　）。

7. （　　　）是一种营养丰富的食品。

8. 在云南、贵州有许多天然山（　　　）。

9. 他每天晚上（　　　）一会儿（　　　）才睡觉。

10. 所有的墙都是我们自己（　　　）刷的。

11. 听说（　　　）里新来了一只大熊猫。

12. 你要去留学？什么时候（　　　）？

二、选择与划线词语意思最相近的解释：

1. A．受冷或觉得冷　　　B．遇冷凝固（nínggù）

　　(1) 放在外面的白菜都冻了。　　（　　　）

　　(2) 我穿两件毛衣还冻得慌。　　（　　　）

　　(3) 在这种零下五十五度的地方，人经常被冻伤。　　（　　　）

2. A．与……玩儿　　　B．招引

　　(1) 你怎么把他逗哭了？　　（　　　）

　　(2) 这孩子真可爱，大人们都愿意和她逗。　　（　　　）

　　(3) 你一边写作业一边逗小狗，作业能写好吗？　　（　　　）

3. A．国家或民族不受外族控制　　　B．不依靠别人

　　(1) 他已经长大了，在生活上完全可以独立了。　　（　　　）

　　(2) 巴勒斯坦（Bālèsītǎn）民族长期以来一直在争取独立。　　（　　　）

三、把下列词语组成句子：

1. 模仿明星的　都　动员　朋友们　参加　我　一个　比赛

2. 睡着了　读了　刚　他　书　就　的　十分钟

3. 独立　中国妇女　是　大部分　的　在经济上

4. 一早　县城　去　他　第二天　就　动身

67

422. 堵　dǔ　（动）	block, stop, stifled
堵洞/堵车	stop up a hole/traffic jam
心里堵得慌	feel suffocated
423. 肚子　dùzi　（名）	belly, abdomen
肚子疼	abdominal pain
424. 度　dù　（名、量）	degree, limit; *a measure word for electricity and water meters*
一度电	one kwh of electricity
做事要有个度	know the limits in doing things
一年一度	once a year
425. 度过　dùguò　（动）	spend
度过节日	spend holidays
度过少年时代	spend one's childhood
426. 渡　dù　（动）	cross, tide over, wade through
渡到对岸	cross over to the opposite bank
渡江	cross a river
427. 端　duān　（动）	carry, hold sth. level with both hands
端过来	carry over
428. 短期　duǎnqī　（名）	short-term
短期学习	short-term study
429. 断　duàn　（动）	break, snap, break off
桥/线断了	The bridge/line is broken.
断水	cut off the water supply
断了联系	break off relationships
430. 堆　duī　（动）	heap, pile
堆在路边	heap up on the roadside
431. 队　duì　（名）	team, band, group
排着队	queue up, line up
运动队/足球队	sports/football team
432. 队伍　duìwu　（名）	rank, procession
买票的队伍	ticket line
433. 队长　duìzhǎng　（名）	team leader
当上了队长	become a team leader
434. *对　duì　（动）	compare, check
对答案/号码	check answer/number

一、请从左页中选择合适的词语填入括号：

1. 节日里商场人太多，交钱也要排（　　　）。

2. 爷爷的两节手指在战争中被打（　　　）了。

3. 垃圾都（　　　）在马路旁边，真脏！

4. 黄河有的地方已经（　　　）流好几年了。

5. 服务员，请把米饭（　　　）上来吧。

6. 玩儿也要有个（　　　），不能连工作都不做了。

7. 他是这个球队的（　　　）。

8. 这个学校有许多（　　　）汉语班。

9. 大夫，我有点儿发烧，（　　　）疼。

10. 听了他的话我很生气，一天心里都（　　　）得慌。

11. 春节还没到，各个火车售票处前就排起了（　　　）。

12. 他曾三（　　　）访问过中国。

二、选择与划线词语意思最相近的解释：

1. A. 计量单位　　B. 限度　　C. 次　　D. 度过

(1) 下个月将举办一年一度的啤酒节。　　（　　　）

(2) 他喝酒没个度，喝起来就没完。　　（　　　）

(3) 今天白天，最高气温零下4度。　　（　　　）

2. A. 对于　　B. 正确　　C. 向；朝　　D. 比较是否一样　　E. 量词

(1) 有什么话你对我说，别拿我弟弟出气。　　（　　　）

(2) 我跟你对一下表。　　（　　　）

(3) 院子门口有一对石狮子，说明这家的主人比较有地位。　　（　　　）

三、选择合适的词语填空：

1. A. 挡　　B. 堵

(1) 前面的高楼＿＿＿＿＿＿住了太阳，使我们的小屋照不进阳光。

(2) 他的嗓子好像被什么东西＿＿＿＿＿＿住了，说不出话来。

(3) 两个大个子＿＿＿＿＿＿在前面，使我们看不见台上的表演。

2. A. 渡过　　B. 度过

(1) 这个画家后来在精神病医院里＿＿＿＿＿＿了她最后的时光。

(2) 毛泽东命令部队＿＿＿＿＿＿长江，打到南京去。

435. 对　duì（量）	a pair of, couple
一对恋(liàn)人/花瓶	a couple/a pair of vases
436. 对比　duìbǐ（动、名）	contrast; ratio
对比两种情况	contrast two kinds of conditions
双方的对比是1:4。	The ratio between them is 1:4.
437. 对待　duìdài（动）	treat, deal with
对待生活/困难	view of life/towards the difficulty
438. 对方　duìfāng（名）	the opposite side
对方的意见	opinions of the opposite side
439. 对付　duìfu（动）	deal with, make do
对付困难/坏人	cope with difficulty/bad people
对付着穿/用	make do with the clothes/things
440. 对话　duìhuà（动、名）	talk; dialogue
正在对话	dialogue in progress
两国的对话	dialogue between the two countries
打断他们的对话	interrupt their talking
441. 对面　duìmiàn（名）	opposite, across from
对面是银行。	The bank is on the other side.
从对面走过来	walk towards
442. 对象　duìxiàng（名）	target, object
谈话/描写的对象	object of talking/description
443. 对于　duìyú（介）	about, with regard to
对于这个问题我不太了解。	I know little about this issue.
444. 吨　dūn（量）	ton
一吨水/煤	a ton of water/coal
445. 蹲　dūn（动）	squat
蹲下	squat down on the heels
蹲在地上	squat on the ground
446. *多　duō（形）	many, overdone
多吃/多拿	eat/take exceedingly
高多了/多多了	much higher/more
447. 多数　duōshù（名）	majority
多数人/情况	majority/most circumstances

70

一、请从左页中选择合适的词语填入括号：

1. 比赛前要充分了解（　　）的情况。

2. 我们服务的（　　）主要是老年人。

3. 使用了这种设备每月可以节约两（　　）水。

4. 我朋友住在我宿舍（　　）。

5. 两国之间应进行平等的（　　）。

6. 爸爸（　　）下跟孩子谈话。

7. 咱们来（　　）一下儿这两种方案。

8. 两个学生正在做（　　）练习。

9. 这双鞋还能（　　）着穿一个星期。

10. （　　）人都喜欢买便宜货。

11. 历史问题应该严肃（　　）。

二、选择合适的词语填空：

1. A. 对　　　B. 对待　　　C. 对付　　　D. 对于

（1）_____这句话的意思我不太明白。

（2）你不能这样_____客人。

（3）我_____他讲了自己的意见。

（4）这辆车很旧，但还能_____着开。

（5）你不用怕，我来_____他。

2. A. 对　　　B. 双

（1）他把一_____大脚搁在桌子上。

（2）今天有两_____年轻人同时在这个饭店结婚。

3. A. 比较　　　B. 对比

（1）到1947年，双方军事力量的_____已经发生了明显的变化。

（2）要想让他改变主意，_____难。

（3）把他十年前和现在的文章_____一下，就会发现他思想上的进步。

三、将下列词语填入句中合适的位置：

1. 他 A 比 B 以前 C 胖 D 了。

　　　　　多

2. 我 A 比 B 她 C 花了 D 一百块。

　　　　　多

3. 这儿的东西 A 比 B 我们那儿 C 贵 D 了。

　　　　　多

448. 夺　duó　（动）	take by force, seize
夺走/夺回来	take away/recapture
夺了冠军	win the championship
449. 躲　duǒ　（动）	avoid, hide
躲躲雨	take shelter from the rain
躲开他们	avoid them
450. 朵　duǒ　（量）	*a measure word for flowers and clouds*
一朵云/花	a cloud/ a flower

E

451. 鹅　é　（名）	goose
养了一只鹅	raise a goose
452. 而　ér　（连）	and, but
香而甜	fragrant and sweet
聪明而可爱	bright and lovely
不应看不起他,而应多　帮助他。	We should help him instead of looking down upon him.
453. 儿童　értóng　（名）	children
儿童玩具	children's toys
454. 耳朵　ěrduo　（名）	ear
两只耳朵	two ears

F

455. *发　fā　（动）	fire, utter, show, feel
发炮	fire a cannon
发通知	send out a notice
发议论	express one's opinion
发急/发冷	become exasperated/feel cold
456. 发表　fābiǎo　（动）	state, announce, issue, publish
发表意见/议论	voice one's opinion/comment
发表文章/小说	publish an article/a novel
发表在报纸上	published in newspaper
457. 发出　fāchū　（动）	give out, issue, send out, send
发出气味/声音	give out smell/make a sound
发出命令/通知	issue orders/notice
信已发出	The letter has been sent.

72

一、请从左页中选择合适的词语填入括号：

1. 蓝蓝的天上飘着（　　）（　　）白云。

2. 老马下了班没有回家，（　　）是去了酒馆。

3. 你声音小点儿，我的（　　）都被你吵坏了。

4. 《西游记》受到了很多（　　）读者的喜爱。

5. 咱们到那个商场里（　　）（　　）雨吧。

6. 这儿的风景美丽（　　）自然。

7. 办公室里突然（　　）一阵笑声。

8. 小宝家养了一大群（　　）。

二、把下列带"发"和"发出"的短语按不同的意思分类：

1. A.寄　　B.分给　　C.发布；表达　　D.感到　　E.发泄（xiè）

　　(1)发新书　　(2)发信　　(3)发火　　(4)发冷　　(5)发奖

　　(6)发慌　　(7)发愁　　(8)发通知　　(9)发议论

　　A.（　　）　　B.（　　）　　C.（　　）　　D.（　　）　　E.（　　）

2. A.产生　　B.发布　　C.寄出

　　(1)发出命令　　(2)发出白光　　(3)发出一封快信

　　(4)发出疑问　　(5)发出热气　(6)发出号召　　(7)发出邀请

　　A.（　　）　　B.（　　）　　C.（　　）

三、选择合适的词语填空：

1. A.夺　　　B.抢

　　(1) 老人被死神_____走了生命。

　　(2) 他把球_____了过去。

2. A.发表　　B.登

　　(1) 我看了你们在报纸上_____的广告，才知道了你们的产品。

　　(2) 欢迎大家看了这部电影以后_____自己的意见。

　　(3) 获奖名单将在下周电视报上_____出。

四、用指定的词语改句子：

1. 这些水果既新鲜又有营养。　　（而）

2. 你不要整天呆在家里，倒是应该多出去走走。　　（而）

3. 父亲近来脾气很大，我们能避开他就避开他。　　（躲着）

458. 发达　fādá　（形）	developed, flourishing
工商业发达	Industry and commerce are flourishing.
发达国家/地区	developed countries/regions
459. 发动　fādòng　（动）	start, launch, mobilize
发动战争	launch a war
发动汽车	start a car
发动大家	mobilize the masses
460. 发抖　fādǒu　（动）	shiver
冷得/气得发抖	shivering with cold/anger
461. 发挥　fāhuī　（动）	perform
发挥能力/作用	give full play to sb.'s ability/function
有效/正常地发挥	perform effectively/normally
462. 发明　fāmíng　（动、名）	invent; invention
发明电灯/新技术	invent electric lamp/a new technology
科学发明	scientific inventions
463. 发言　fā yán	speak
在会上发言	give a speech at the meeting
464. 发扬　fāyáng　（动）	develop, carry on
发扬……精神/传统	carry forward the spirit/tradition of...
465. *发展　fāzhǎn　（动）	recruit, admit
发展新队员	recruit new members
466. 法郎　fǎláng　（名）	franc
467. 法律　fǎlǜ　（名）	law
遵守/符合法律	obey/accord with the law
法律规定	legal regulations
468. 繁荣　fánróng　（形、动）	prosperous; make sth. prosper, promote
国家/事业繁荣	prosperous country/business
繁荣市场	promote market prosperity
469. 凡　fán　（副）	any, all, every
凡去过的人	anyone who has been there
凡知道的人	anybody who knows

一、请从左页中选择合适的词语填入括号：

1. 我们每个人都在讨论中（　　）了（　　）。

2. 在中国不能使用（　　）买东西。

3. 这样做不符合（　　）。

4. 节日市场十分（　　）。

5. 我们又（　　）了一名新队员。

6. 我们坐在教室里冷得（　　）。

7. 他（　　）事都靠自己解决。

8. 今天他不舒服，所以在比赛中没有（　　）正常。

二、选择合适的词语填空：

1. A. 发达　　B. 发展

(1) 这一地区的农业_____得比较好。

(2) _____的交通、开明的政策，为我市经济的_____提供了有利的保证。

2. A. 凡　　B. 全部　　C. 所有　　D. 只要

(1) _____我厂生产的产品都保证质量。

(2) _____是对的就一定要坚持。

(3) 他_____事都要问个为什么。

(4) 老吴拿出自己_____的钱为山里的孩子办小学。

3. A. 发挥　　B. 发扬

(1) 中国应该把好的民族传统_____下去。

(2) 来_____你的美术才能，帮我布置布置我的小店吧。

(3) 如果吃药不按时，那么药就不能充分_____它的作用。

4. A. 发现　　B. 发明　　C. 创造

(1) 在公元七世纪，印刷技术就已经_____了。

(2) 中国五千多年的历史文明是劳动人民_____的。

(3) 居里夫妇_____了"镭"（léi）。

5. A. 发动　　B. 动员

(1) 为了抢占市场，几家电视机厂又_____了一场价格大战。

(2) 马丽_____了我半天，希望我跟她一起去考演员。

(3) 应该_____全社会来关心和支持教育事业。

470. 反动 fǎndòng （形）	reactionary
思想反动	reactionary ideology
471. 反复 fǎnfù （副、名）	repeatedly；relapse
反反复复比较	make repeated comparisons
病情有反复	relapse of illness
472. 反抗 fǎnkàng （动）	resist，rebel
反抗政府	rebel against government
473. 反应 fǎnyìng （动、名）	respond；response
反应很快	immediate response
别人对这事的反应	other's response to it
474. 反映 fǎnyìng （动、名）	reflect；reflection
反映了历史/心理	mirror the history/psychology
反映反映情况	report，make known
引起了强烈的反映	received enthusiastic responses
475. 反正 fǎnzhèng （副）	(*used to indicate the same result*) despite different circumstances，(*used to convey certainty or resolution*) anyhow
谁爱去谁去，反正我不去。	Anybody who wants to go can go. I'm not going anyhow.
坏了没关系，反正不贵。	It doesn't matter if it's damaged. It's not expensive anyway.
476. 范围 fànwéi （名）	scope
在全国范围内	across the whole country
范围很大很广	an extremely broad range
477. 犯 fàn （动）	violate，have a recurrence of，revert to
犯了法	break the law
犯病/犯错误	recurrence of an illness/commit a mistake
478. 方 fāng （形）	square
方桌	a square table
479. 方案 fāng'àn （名）	scheme，work plan
行动方案	action plan
采取/制定方案	adopt the programme/work out a plan
480. 方式 fāngshì （名）	way，mode，pattern，style
工作/表达方式	way of work/expression

一、请从左页中选择合适的词语填入括号：

1. 上个月迟到现象基本没有了，可这两天情况又有（　　　）。

2. 他拿出了新的设计（　　　）。

3. 不带冬衣也可以，（　　　）这儿也不太冷。

4. 昨天睡得太晚了，所以今天老（　　　）困。

5. 他们经过（　　　）商量，决定把这个工作交给小王。

6. 一紧张，他的头疼病就（　　　）。

7. 这次人口调查的（　　　）很广。

8. 警察抓住了他，他也没有进行（　　　）。

9. 无论你有什么理由，（　　　）考试不及格就不能毕业。

10. 广场是（　　　）形的。

11. 他们的理论是（　　　）的。

二、选择合适的词语填空：

1. A. 反应　　B. 反映
  (1) 这个小孩_____很快，马上明白了我的意思。
  (2) 这是一部_____农村生活的电影。
  (3) 大家都叫着他的名字，可他却没有_____。
  (4) 你是领导，却不为单位和群众办好事，群众对你_____很大。
  (5) 没想到，他吃了这药_____这么大。

2. A. 方案　　B. 计划
  (1) 我们的旅行_____是第一天去南京，第二天去苏州。
  (2) 解决这个问题的_____已经有了。
  (3) 人民代表大会提出了关于《婚姻法》的修改_____。

3. A. 方式　　B. 方法
  (1) 剑（jiàn）桥大学采取的教育_____是非常特殊的。
  (2) 妈妈教给我制作蛋糕的_____。
  (3) 你的想法没错，可是表达_____有点儿问题。

4. A. 反对　　B. 反抗
  (1) 反政府军进行了激烈的_____。
  (2) 我们_____这种欺骗顾客的做法。

481. *方向　fāngxiàng　（名）　orientation

努力的方向　making efforts towards

482. 方针　fāngzhēn　（名）　policy, guiding principle

工作的方针　working policy

制定方针政策　create guiding principles

483. 房子　fángzi　（名）　house, room

一间/一套房子　a room/a set of rooms

484. 防　fáng　（动）　guard against

防病/防火/防虫　guard against illness/fire/insects

485. 防止　fángzhǐ　（动）　prevent

防止发生事故/火灾　try to forestall accident/fire

486. 仿佛　fǎngfú　（动）　be like, be similar, as if

仿佛亲人一样　like one's relatives

仿佛回到了家　felt as if one have returned home

487. 纺织　fǎngzhī　（动）　spin and weave

纺织工业　textile industry

488. *放　fàng　（动）　pasture, show, set or let off

放羊/放牛/放马　attend to a herd of sheep/cows/horses

放电影　show a movie

放炮　fire cannon, shoot off one's mouth

489. 放大　fàngdà　（动）　enlarge, amplify

放大声音　amplify the sound

放大照片　enlarge photos

490. 放弃　fàngqì　（动）　abandon

放弃机会　give up the opportunity

主动/不愿放弃　give up willingly/unwillingly

491. 放心　fàng xīn　be at ease

放心地离开　leave a place without worry

放心不下/放下心来　unable/able to set one's mind at rest

492. 非……不可　fēi……bùkě　be sure to, have to

你车开得这么快，非出
问题不可。　You'll surely end up in an accident if you go on
speeding like that.

今天非见到他不可。　I must see him today.

78

一、请从左页中选择合适的词语填入括号：

1. 他就相信你，现在（　　）你来劝他（　　）。

2. 这张照片（　　）了以后就不清楚了。

3. 小丽到北京以后给妈妈打了电话，妈妈才（　　）下（　　）来。

4. 种这种树可以（　　）虫。

5. 把中文说得像中国人那样，是我努力的（　　）。

6. 中央政府制定了（　　）政策，指导地方的工作。

7. 要（　　）这样的事再次发生。

8. 他过去是个（　　）厂的厂长。

9. 这间（　　）好像没人住。

10. 他那样看着我，（　　）不认识我一样。

二、把下列带"放"的短语按不同的意思分类：

　　A. 摆；搁　　　　　　　　　　B. 加进去　　　C. 赶着牛羊等出去活动

　　D. 在规定时间里停止（学习/工作）E. 发出图像或信息　　F. 点燃

1. 放磁带　2. 放马　　　3. 放鞭炮　　4. 放点儿糖　　5. 放在外边

6. 放学　7. 放外国电影　8. 放几块冰　9. 放火　　　10. 放不进去

A.（　　）　　B.（　　）　　C.（　　）　　D.（　　）　　E.（　　）　　F.（　　）

三、选择合适的词语填空：

1. A. 放　　　　B. 养

（1）他们家_____了二十头牛。

（2）儿子出去_____牛了。

2. A. 丢掉　　　B. 放弃

（1）他从垃圾堆里捡回一台别人_____的旧电视。

（2）郑玉华_____了原来的专业，改学经济。

（3）所有的人都劝她不要_____现在这份工作。

3. A. 仿佛　　　B. 好像

（1）这儿的风景真美，_____画儿一样。

（2）这字_____不是他写的，他的字没这么漂亮。

（3）韩国、日本的传统建筑的特点与中国唐代建筑的特点相_____。

（4）那块巨大的山石_____一位美丽的姑娘，在等待着她的心上人。

493. 肥 féi （形）	fat
肥肉	fat meat
494. 肺 fèi （名）	lung
得了肺病	contract a pulmonary disease
495. 费 fèi （名）	fee, charge
交学费/车费/药费	pay tuition/bus fare/the cost of medicine
496. 费 fèi （动）	cost
费时间/力气	be time-consuming/energy-consuming
497. 费用 fèiyòng （名）	expenses, cost
生活/上学的费用	living/schooling expenses
费用很高	high expenses
498. 吩咐 fēnfù （动）	tell, instruct
吩咐他去扫地	tell him to clean the floor
吩咐孩子	tell the child
499. *分 fēn （动）	distinguish, differentiate
分出不同	tell the difference
好坏不分	can't distinguish good from bad
500. 分别 fēnbié （动、副）	part; respectively
与大家分别	part with others
分别提出意见	express opinions separately
501. 分配 fēnpèi （动）	distribute
分配给每个人	distribute to everyone
合理地分配	distribute reasonably
502. 分析 fēnxī （动）	analyse
分析问题/情况	analyse issues/situations
仔细地分析	analyse in detail
503. 纷纷 fēnfēn （形）	numerous and confused, one after another
大雪纷纷	Snowflakes were falling thick and fast.
议论纷纷	all sorts of comments
纷纷走出	walk out one after another
504. 粉笔 fěnbǐ （名）	chalk
一根/一盒粉笔	a piece/box of chalk

一、请从左页中选择合适的词语填入括号：

1. 学校（　　）给每间宿舍一部电话。

2. 阿里的演出非常成功，同学们（　　）向他祝贺。

3. 在大连生活（　　）要比北京高一些。

4. 我用假期工作挣来的钱交学（　　）。

5. 我们得（　　）一下为什么出现这种情况。

6. 你想不（　　）力气就得到成功吗？

7. 肉太（　　）了，我不想吃。

8. 游泳好的人（　　）也很健康。

9. 讲台上摆着一盒（　　）。

10. 去那种地方既（　　）钱又（　　）时间。

二、选择与划线词语意思最相近的解释：

　　A．多而杂的　　　B．（很多人）一个跟着一个地

1. 中国足球队赢了！人们纷纷走出家门去庆祝。　　（　　）

2. 北风一吹，树上的叶子纷纷地落了下来。　　（　　）

3. 李平怎么突然不干了？大家都议论纷纷。　　（　　）

三、选择合适的词语填空：

1. A．费　　　B．花

（1）下棋是很＿＿＿＿脑子的。

（2）上学当然很＿＿＿＿钱。

（3）在小吃店里，＿＿＿＿钱不多，却吃得很好。

（4）我＿＿＿＿了很大的劲儿才让他明白了我的意思。

2. A．命令　　B．吩咐

（1）我＿＿＿＿你马上回来。

（2）他＿＿＿＿小孙子去给客人倒茶。

3. A．分　　　B．分别

（1）他不＿＿＿＿对错，把我们俩都骂了。

（2）我们一起走到了十字路口，然后就＿＿＿＿了。

（3）大家讨论以后＿＿＿＿提出了自己的意见。

（4）你能＿＿＿＿出哪个是英国人、哪个是德国人吗？

505. 奋斗 fèndòu （动）	struggle
奋斗目标	the objectives of one's endeavor
为理想奋斗	struggle for ideals
506. 份 fèn （量）	part, portion, share
分成三份	divide into 3 parts
一份报纸/材料	a copy of newspaper/material
一份菜/饭	a dish/meal
507. 愤怒 fènnù （形）	angry
愤怒的样子	angry expression
愤怒地说	say with anger
引起愤怒	cause resentment
508. 封建 fēngjiàn （形）	feudal
封建社会/时代	feudal society/times
封建思想	feudal ideology
509. 风景 fēngjǐng （名）	scenery
风景优美	beautiful scenery
看风景	go sightseeing
510. 风力 fēnglì （名）	wind power
风力二三级	wind power two to three
511. 风俗 fēngsú （名）	social custom
风俗习惯	customs and habits
了解当地的风俗	understand local customs
512. 逢 féng （动）	meet, encounter, come across
逢人便说	tell this to everyone
逢年过节	on the occasion of festivals
每逢周末	on each weekend
513. 否定 fǒudìng （动）	negate
否定了他的方案/意见	reject his plan/opinion
不完全否定	negate partially
被彻底否定	be denied totally
514. 否则 fǒuzé （连）	otherwise
快说,否则我就对你 不客气了!	You'd better tell me quickly, or I will beat you up!

一、请从左页中选择合适的词语填入括号：

1. 窗外的（　　）很美。

2. 下午（　　）已经减小，天气好多了。

3. 在中国那些很远的地方，人们的思想还很（　　）。

4. 我们的方案被（　　）了。

5. 他在国外（　　）了十多年，终于取得了成功。

6. 我订了一（　　）《北京青年报》。

7. 服务员，来（　　）米饭。

8. 他（　　）地拍着桌子，儿子害怕地躲在母亲身后。

9. 老人死以前，把钱分成了三（　　），分给了三个儿子。

10. 我们得保护这些动物，（　　）以后将再也见不到它们了。

二、选择与划线词语意思最相近的解释：

1. 每<u>逢</u>儿童节，小学都放一天假。

　　A. 次　　　B. 过　　　C. 碰到、遇到

2. 政府发言人<u>否定</u>了这一说法。

　　A. 不批准；确定不真实、不存在　　　B. 确定；批准　　　C. 决定

3. 我热爱中国文化，<u>否则</u>我不会长期住在这里。

　　A. 如果是这样　　　B. 如果不是这样　　　C. 不是

三、选择合适的词语填空：

1. A. 逢　　　　B. 碰着　　　C. 遇见

（1）每_____星期六我们家都去郊区玩儿玩儿。

（2）我们厂想做出口生意，但一直没_____机会。

（3）你_____什么好事了，这么高兴！

（4）祥（xiáng）林嫂_____人便讲她儿子的事。

（5）中国人_____年过节都要去看看父母。

2. A. 风俗　　　B. 习惯

（1）中国的各种年节_____是从汉代开始逐渐形成的。

（2）我从小养成了早睡早起的_____。

（3）其实用左手用右手都是正常的，只是个人_____不同。

（4）这个展览可以帮你了解老北京的_____。

515. 扶　fú　（动）　　place a hand on sb. or sth. for support, hold up
　　　扶着老人　　　　hold the old man by the arm
　　　扶着桌子站起来　get on one's feet by leaning on a table
　　　把……扶起来　　straighten...up

516. 幅　fú　（量）　　*a measure word for pictures or cloth*
　　　一幅画/布　　　　a painting/a piece of cloth

517. 符合　fúhé　（动）　accord with
　　　符合要求/条件　　meet the request/conditions
　　　不符合实际情况　　out of tune with reality

518. 服从　fúcóng　（动）　obey, submit
　　　服从命令/领导　　obey the orders/follow the leader
　　　坚决服从　　　　　obey unconditionally

519. 浮　fú　（动）　　float, swim
　　　浮起来　　　　　　float up to the surface
　　　浮水　　　　　　　swim

520. 副　fù　（量）　　pair
　　　一副手套/眼镜　　a pair of gloves/glasses

521. 副　fù　（形）　　deputy, vice
　　　副总统/副主任　　vice president/associate director

522. 副食　fùshí　（名）　non-staple food
　　　副食店/副食品　　grocery store/non-staple food

523. 复述　fùshù　（动）　retell
　　　复述课文　　　　　retell a text
　　　复述不下来　　　　unable to retell

524. 复印　fùyìn　（动）　duplicate
　　　复印一份资料　　　make a copy of the material

525. 付　fù　（动）　　pay
　　　付钱　　　　　　　pay the money
　　　付给他　　　　　　pay him

526. 富　fù　（形）　　rich
　　　家里很富　　　　　a very wealthy family
　　　富于想像/创造力　be highly imaginative/creative

527. 妇女　fùnǚ　（名）　woman
　　　妇女用品/时装　　necessities/fashion clothes for women

一、请从左页中选择合适的词语填入括号：

1. 豆腐和青菜是对身体很有好处的（　　）品。

2. （　　）条件的人都可以报名参加。

3. 请把这个资料（　　）两份。

4. 学生们的发明很（　　）于创造。

5. 他是美国前（　　）总统。

6. 湖面上（　　）着许多脏东西。

7. 军人必须（　　）命令。

8. 老人（　　）着沙发站起来。

9. 请你（　　）一下这篇文章的主要内容。

10. （　　）用品和鞋类在商场的三楼。

11. 大家吃完了饭都抢着（　　）钱。

12. 现在中国农民（　　）起来了，也开始到各地旅游。

二、选择合适的词语填空：

1. A. 幅　　　B. 副

(1) 我新买了一_____眼镜。

(2) 那个商人花了很多钱买这_____画儿。

2. A. 女人　　B. 妇女

(1) _____柜子里的衣服比男人的多多了。

(2) 许多_____时装的设计师都是男性。

3. A. 付　　　B. 给　　　C. 交

(1) 我已经把钱_____服务员了。

(2) 这个孩子因为_____不起学费，不得不放弃了上学的机会。

(3) 上星期就通知大家_____照片，可现在还没_____齐。

(4) 我先_____给你50％的钱。

4. A. 符合　　B. 适合　　C. 满足

(1) 不_____法律规定的年龄，不准结婚。

(2) 那种管理方式虽然好，但不太_____中国的情况。

(3) 他反映的情况是_____实际的。

(4) 钱和礼物并不能_____老人精神上的需要，他们希望儿女能常回家看看。

528. *该　gāi　（助动）

别说了,他该生气了。

他该回来了。

most likely, would

Stop it. He would get angry.

He should be back by now.

529. 该　gāi　（代）

该书/该同学

this, that, the above-mentioned or said

the book/student in question

530. 改革　gǎigé　（动、名）

改革旧制度

进行大胆的改革

reform

reform the old system

carry out bold reforms

531. 改进　gǎijìn　（动、名）

改进技术/方法

有很大改进

improve; improvement

improve technology/methods

have been greatly improved

532. 改善　gǎishàn　（动）

改善生活/条件

得到了改善

improve, ameliorate

improve life/conditions

be improved

533. 改造　gǎizào　（动）

改造旧城/环境

对……进行改造

transform

transform the old city/environments

transform...

534. 改正　gǎizhèng　（动）

改正缺点/错误

correct

correct shortcomings/mistakes

535. 概括　gàikuò　（动、形）

概括主要内容

概括地总结

summarize; brief

summarize the main idea

summarize succinctly

536. 概念　gàiniàn　（名）

弄清概念

concept, notion

understand the concept

537. 盖　gài　（动）

盖上布

盖楼/盖工厂

cover, build

cover with cloth

construct a building/build a factory

538. 干　gān　（形）

嗓子干

晒干

dry

have a dry throat

dry in the sun

一、请从左页中选择合适的词语填入括号：

1. （　　）书详细记录了邓小平的一生。

2. 南京菜的特点（　　）起来是咸和鲜。

3. 妈妈悄悄地给他（　　）上毯子。

4. 跑了半天了，嗓子有点儿（　　）。

5. 主语、谓语、宾语是基本的语法（　　）。

6. 楼刚（　　）了一半儿。

7. 他（　　）地介绍了一下这座博物馆的情况。

8. 他这个错误老是（　　）不过来。

9. 你那么长时间没给家里打电话，你家里人（　　）担心了。

二、选择与划线词语意思最相近的解释：

　　A. 应该　　B. 大概应该　　C. 这个　　D. 按顺序应当是

1. 你不<u>该</u>把这么重要的东西交给他。　　（　　）

2. 下面<u>该</u>你发言了。　　（　　）

3. 他是一个多小时前出发的，现在<u>该</u>到天津了。　　（　　）

4. 《家》是巴金先生的代表小说，<u>该</u>书曾多次被翻译成外国文字出版。　　（　　）

5. 你女儿明年<u>该</u>考大学了吧？　　（　　）

三、选择合适的词语填空：

1. A. 改进　　B. 改善　　C. 改革　　D. 改造　　E. 改正　　F. 改变

　　(1) 他们在生产技术上又有了很大_____。

　　(2) 我们自己把又黑又脏的旧房_____成了干净明亮的新房。

　　(3) 北京正在努力_____环境污染的状况。

　　(4) 及时_____作业里的错误对学习非常重要。

　　(5) 这件事_____了我的一生。

　　(6) 政府已经下了决心，对一些旧的制度进行_____。

　　(7) 该厂虚心接受顾客意见，_____了服务态度，提高了产品质量。

2. A. 该　　B. 可能

　　(1) 他不_____这么快回来。

　　(2) 又到四月了，植物园的桃花节_____开始了吧。

　　(3) 快点儿去吧，要不然人家_____关门了。

539. 干杯　gān bēi | drink a toast
为……干一杯 | toast for...

540. 干脆　gāncuì　（形） | clear-cut, straightforward
说话/办事很干脆 | speak/handle things in a clear-cut manner
干干脆脆地说 | say sth. straightforwardly
答应得很干脆 | agree without hesitation

541. *干净　gānjìng　（形） | clean
吃/扫干净 | eat up/sweep clean

542. 干燥　gānzào　（形） | dry
空气/皮肤干燥 | The air/skin is dry.

543. 杆　gān　（名） | pole
旗杆 | flagpole

544. 肝　gān　（名） | liver
鸡肝 | chicken liver
鱼肝油 | cod-liver oil

545. 赶　gǎn　（动） | catch up with
赶先进 | catch up with the advanced
他走得快,一会儿就赶上我了。 | He walks fast, so he can catch up with me in no time.

546. 赶紧　gǎnjǐn　（副） | hurry, hasten
赶紧走/告诉 | hasten to walk away/tell

547. 赶快　gǎnkuài　（副） | quickly
赶快写/上车 | write/get on board quickly

548. 感动　gǎndòng　（动） | move
很受感动 | be moved
感动了观众 | touch the heart of the audience
感动得流下眼泪 | be moved to tears

549. 感激　gǎnjī　（动） | be grateful
感激你的帮助 | Thank you for your help.
对……感激不尽 | be extremely gratuful to...

550. 感觉　gǎnjué　（动） | feel
感觉很舒服 | feel very comfortable
感觉到对方的友好 | be able to feel other's friendly affection

一、请从左页中选择合适的词语填入括号：

1. 你走得太快了，我（　　）不上你。

2. 让我们为友谊（　　）)!

3. 鸡（　　）里的维生素 A 比较丰富。

4. 由于他学习努力，很快（　　）上了同学们。

5. 上海的旧街道里，家家窗户里都伸出两根晒衣（　　）。

6. 下了班跳跳舞，会（　　）到轻松愉快。

7. 他把所有的菜都吃（　　）了。

8. 我不习惯这里（　　）的天气。

9. 你（　　）地说吧，你到底想干什么？

10. 快把地上的东西收拾（　　）)!

11. 虽然快 12 月了，但并没有（　　）到冬天的寒冷。

二、选择合适的词语填空：

1. A. 赶紧　　B. 赶快　　C. 马上

（1）_____进站吧，还有十分钟火车就开了。

（2）_____把技术员找来！

（3）_____说呀，后来他怎么样了？

（4）检查结果_____就会出来。

2. A. 动人　　B. 感动

（1）关于这个湖，还有一个_____的故事呢。

（2）这部中国电影也_____了许多外国观众。

3. A. 感激　　B. 感谢

（1）那个解放军战士把老人从水里救上来，老人_____得不知说什么才好。

（2）我非常_____我的家人对我的支持。

（3）人家帮了咱们那么大忙，咱们得好好_____人家。

4. A. 干脆　　B. 痛快　　C. 直接

（1）我请他教我汉语，他_____地答应了。

（2）时间这么晚了，你_____别回去了。

（3）这件事找他们没用，得_____找部长。

（4）我把他_____地骂了一顿。

89

551. 感情　gǎnqíng　（名）　feeling

感情丰富　rich with emotion

对……很有感情　cherish a deep affection for...

552. 感想　gǎnxiǎng　（名）　reflections, after-thoughts

交流感想　exchange reflections

553. 感兴趣　gǎn xìngqù　be interested in

感兴趣的事　the thing. one is interested

对……很感兴趣　show much interest in...

554. *敢　gǎn　（助动）　dare

不敢保证/肯定　cannot gurantee/be sure

555. 干活儿　gàn huór　work

干了点儿活　do a little work

干起活儿来　start working

556. 干吗　gàn má　why on earth

干吗这么看我？　Why on earth do you look at me like this?

你躺着干吗？　Why on earth are you lying down?

557. *刚　gāng　（副）　just, barely, no more than

刚够两个人吃　just enough for two persons to eat

刚能全装下　just big enough to hold all

558. 刚刚　gānggāng　（副）　just, exactly, barely

刚刚听说　heard of sth. just now

刚刚够用　just enough

刚刚够买四个包子　just enough to buy four stuffed bun

559. 钢　gāng　（名）　steel

钢板/钢厂　steel plate/steel plant

用钢做成　made of steel

560. 港　gǎng　（名）　port

海港/自由港　sea harbour/free port

出港/进港　leave/enter the port

561. *高　gāo　（形）　of a high or higher rank

地位高　have a high social status

高年级　higher grades

一、请从左页中选择合适的词语填入括号：

1. 看了这篇报道，我（　　）很多。

2. 船到（　　）了。

3. 我上完了中级班，还要报名上更（　　）一级的班。

4. 我不（　　）确定他就是你要找的人。

5. 他俩结婚很多年了，（　　）一直不错。

6. 现在他地位（　　）了，钱多了，人也变了。

7. 她哥哥在（　　）厂工作。

8. 过去我是老板，现在我给别人（　　）。

9. 你（　　）保证这东西一定是真的吗？

10. 她对这辆用了六年的自行车特别有（　　）。

二、选择与划线词语意思最相近的解释：

1. 这些时间<u>刚刚</u>够走到火车站。
　　A. 只　　　　　B. 正好　　　　　C. 表示动作发生不久　　　D. 刚才

2. 你<u>干吗</u>不跟他一块去？
　　A. 做什么　　B. 为什么　　C. 什么时候　　　　　D. 怎么样

3. 现在还不<u>敢</u>肯定病人是否脱离了危险。
　　A. 有勇气做　　B. 有把握地判断　　C. 勇敢　　　　　D. 知道

三、选择合适的词语填空：

　　A. 刚　　B. 刚刚　　C. 刚才

1. 你_____走，就有一个戴眼镜的人来找你。

2. 请你把_____的情况再说一下。

3. 剩下的药_____够吃两天的。

4. 这条裤子你穿_____合适。

四、将下列词语填入句中合适的位置：

1. 我只有 A 20 块钱了，B 够 C 买一本书。
　　　　　刚刚

2. 她干 A 起 B 来 C 什么不愉快的事都忘了。
　　　　活儿

3. 我在家里 A 干 B 了 C 活儿 D。
　　　　很多

4. 我 A 对 B 他们的事 C。
　　　　不感兴趣

5. A 你 B 不 C 先写完作业再出去玩儿？
　　　　干吗

91

562. 高大 gāodà （形）	tall and big
高大的建筑	high-rises
长得高高大大的	be tall and strong
563. 高度 gāodù （名、形）	height; high
楼房的高度	the height of a building
高度负责	with a strong sense of responsibility for
564. 高原 gāoyuán （名）	plateau, highland, tableland
高原地区	highland area
生活在高原	live on highland
565. *搞 gǎo （动）	get, get hold of
搞张电影票	get a movie ticket
566. 告 gào （动）	tell, inform, report
告知	inform, notify
告了两天假	ask for a two-days' leave
567. 告别 gàobié （动）	take leave of
告别家乡	leave one's hometown
向老师告别	say goodbye to one's teacher
568. 搁 gē （动）	put, place, lay
把书搁在书架上	put books on the bookcase
搁不下	can't hold
569. 胳膊/胳臂 gēbo/gēbei （名）	arm
一只/一个胳膊/胳臂	an arm
570. 割 gē （动）	cut, sever, mow
割草	cut grass
571. 革命 gé mìng	revolutionize; revolution
革命到底	carry the revolution through to the end
一场工业革命	an industrial revolution
革命青年	revolutionary youth
572. 隔 gé （动）	at a distance, after or at an interval
隔五分钟	five minutes interval
573. 隔壁 gébì （名）	next door
住在隔壁	be next door neighbors

一、请从左页中选择合适的词语填入括号：

1. 他的个子特别（　　　）。

2. 桥的（　　　）是四米。

3. 高考前同学们（　　　）紧张。

4. 很多人不适应在（　　　）上工作。

5. 大夫没敢把病情（　　　）他。

6. 我有点事儿，只好提前（　　　）退。

7. 为了学汉语，我才（　　　）了亲人，来到中国。

8. 干净的衣服应该（　　　）到衣柜里。

9. 现在（　　　）小麦都是用机器了。

10. 这小孩的（　　　）也粗，腿也粗。

11. （　　　）就是解放生产力。

12. 他长得漂亮，个子又（　　　）的，很让姑娘喜欢。

13. 张老师住在我们家（　　　）。

14. 每（　　　）十分钟来一次车。

二、选择与划线词语意思最相近的解释：

1. 我得到了消息，会<u>告知</u>你的。

    A. 表明　　　B. 告诉　　　C. 请求　　　D. 宣布

2. 我发烧39度，只好<u>告假</u>休息。

    A. 表明　　　B. 告诉　　　C. 请求　　　D. 宣布

3. 来北京前，我必须向我的朋友<u>告别</u>。

    A. 离别　　　B. 分手　　　C. 辞行　　　D. 哀悼

4. 贵重物品不要<u>搁</u>在行李里。

    A. 加进去　B. 放置　　C. 停止进行　D. 扔

5. 把书<u>搁</u>在桌子上吧。

    A. 放置　　　B. 加进去　　C. 停止进行　D. 扔

6. 那两个城市相<u>隔</u>很远。

    A. 间隔　　　B. 距离　　　C. 阻隔　　　D. 放着

7. <u>隔</u>四小时吃一次药。

    A. 间隔　　　B. 距离　　　C. 阻隔　　　D. 放着

574. 个别　gèbié　（形）　　　　　individual, specific, particular
　　个别谈一谈/谈话　　　　　　private talk
　　个别人没来　　　　　　　　Only one or two did not come.
　　个别的情况　　　　　　　　special cases

575. 个人　gèrén　（名）　　　　　individual, personal
　　个人服从集体　　　　　　　subordinate individual to the collective needs
　　个人生活　　　　　　　　　personal life

576. 个体　gètǐ　（名）　　　　　individual
　　个体经济　　　　　　　　　individual economy

577. 个子　gèzi　（名）　　　　　height, stature, body build
　　高/矮个子　　　　　　　　tall person/small fellow, short person

578. *给　gěi　（介）　　　　　a prep. *used to show the passive voice*
　　自行车给骑坏了。　　　　　The bike was broken due to overuse.

579. *根　gēn　（名）　　　　　root, foot, base
　　耳朵根儿　　　　　　　　　base of ears
　　墙根儿　　　　　　　　　　foot of a wall

580. 根本　gēnběn　（名、形、副）　base, foundation; basic; simply, thoroughly
　　问题的根本　　　　　　　　the core of a problem
　　根本原因　　　　　　　　　fundamental cause
　　根本不知道　　　　　　　　do not know...at all

581. 根据　gēnjù　（动、名）　　　on the basis of, according to; basis
　　根据情况处理　　　　　　　deal with sth. in the light of specific conditions
　　没有什么根据　　　　　　　without any basis

582. 跟前　gēnqián　（名）　　　　in front of, (of one's children) living with one
　　在书桌跟前　　　　　　　　in front of the desk
　　儿子不在父母跟前　　　　　The son doesn't live with his parents.

583. 更加　gèngjiā　（副）　　　　more, still more, even more
　　更加美丽　　　　　　　　　more beautiful

584. 工程　gōngchéng　（名）　　　project, programme
　　建筑工程　　　　　　　　　construction project
　　一个大工程　　　　　　　　a grand project

585. 工程师　gōngchéngshī　（名）　engineer
　　建筑工程师　　　　　　　　architectural engineer

一、请从左页中选择合适的词语填入括号：

1．父母不应把孩子受教育只看成是（　　　）的事。

2．现在（　　　）劳动者在不断增加。

3．只有（　　　）人不遵守纪律。

4．他坐在（　　　）下晒太阳。

5．他爸爸是个建筑（　　　）。

6．他哥哥是个高（　　　）。

7．来中国前，他（　　　）不会汉语。

8．应该（　　　）法律办事。

9．改造旧城是个大（　　　）。

10．他现在（　　　）努力了。

11．你（　　　）有几个孩子？

12．菜都（　　　）他吃光了。

13．杯子（　　　）打碎了一个。

二、选择与划线词语意思最相近的解释：

1．我需要老师<u>个别</u>辅导。

　　A．各个　　　　B．单个　　　C．少数　　　D．特别

2．儿子在外地工作，现在我<u>跟前</u>只有一个女儿。

　　A．身边　　　　B．附近　　　C．旁边　　　D．左右

3．刻苦训练是学好语言的<u>根本</u>。

　　A．关键　　　　B．最重要　　C．完全　　　D．保证

4．适度锻炼是健康的<u>根本</u>保证。

　　A．根源　　　　B．最重要　　C．完全　　　D．始终

三、选择合适的词语填空：

1．房间＿＿＿＿＿打扫干净了。

　　A．叫　　　　　B．让　　　　C．给　　　　D．为

2．你这样做的＿＿＿＿＿是什么？

　　A．按　　　　　B．按照　　　C．根据　　　D．据

3．你一定要＿＿＿＿＿我来信。

　　A．为　　　　　B．对　　　　C．给　　　　D．向

586. 工夫　gōngfu　（名）　　time, free time, spare time
　　　费工夫　　　　　　　　take time and energy
　　　工夫不大　　　　　　　before long
　　　没工夫　　　　　　　　have no spare time

587. 工会　gōnghuì　（名）　trade union, labour union
　　　工会主席　　　　　　　the chairman of the Labour Union

588. 工具　gōngjù　（名）　　tool, means, instrument
　　　生产工具　　　　　　　tools of production
　　　交际工具　　　　　　　means of communication

589. 工艺品　gōngyìpǐn　（名）　handicraft, handiwork
　　　少数民族的工艺品　　　handicrafts of the minority nationalities

590. 工资　gōngzī　（名）　　wages, salary, pay
　　　工资低　　　　　　　　low pay
　　　领工资　　　　　　　　get one's salary (or wages)

591. *工作　gōngzuò　（名）　task, work
　　　教师的工作　　　　　　teachers' work
　　　科学/社区工作　　　　　scientific research/community work

592. 功夫　gōngfu　（名）　　workmanship, skill, time, free time
　　　没功夫写信　　　　　　have no time to write letters
　　　很有功夫　　　　　　　be proficient

593. 供　gōng　（动）　　　　supply, for (the use or convenience of)
　　　供孩子上学　　　　　　provide for the child's schooling
　　　仅供参考　　　　　　　for reference only

594. 供给　gōngjǐ　（动）　　supply, provide, furnish
　　　供给食品、衣物　　　　supply foods/clothes
　　　保障供给　　　　　　　ensure the supply
　　　由……供给　　　　　　be supplied by...

595. 公费　gōngfèi　（形）　　at the public expense
　　　公费出国　　　　　　　go abroad at the public expense
　　　公费学生　　　　　　　students abroad at the state scholarship

596. 公共　gōnggòng　（形）　public, common, communal
　　　公共场所/利益　　　　　public places/common interests

597. 公开　gōngkāi　（形、动）　open, public, make public
　　　公开的敌人　　　　　　open enemies
　　　他们的关系公开了。　　Their relationship comes into the open.

一、请从左页中选择合适的词语填入括号：

1. 手工包饺子特别费（　　）。

2. 小王的舞蹈真有（　　）。

3. 空姐的月（　　）是七八千元。

4. 锄头是农民的生产（　　）。

5. 教师的（　　）很辛苦。

6. 维吾尔族的小花帽也是一种（　　）。

7. 沙漠地带解决（　　）水问题极为重要。

8. 语言是人们的（　　）。

9. 是哥哥（　　）我上的大学。

10. （　　）应该代表工人的利益。

11. 商业的秘密不能（　　）。

12. 发展生产，才能保障（　　）。

13. 他要争取（　　）出国留学。

14. 要搞好（　　）卫生。

15. （　　）的敌人不可怕，秘密的敌人才可怕。

二、选择与划线词语意思最相近的解释：

1. 他的画儿真有<u>功夫</u>。

　　A. 时间　　　B. 水平　　　C. 空闲　　　D. 有力

2. 儿子就要参加高考了，哪有<u>功夫</u>看电视。

　　A. 时间　　　B. 水平　　　C. 本领　　　D. 有力

3. 北京十月底就应该<u>供</u>暖气了。

　　A. 供应　　　B. 供求　　　C. 供销　　　D. 供养

4. 民族院校学生的生活费基本上由国家<u>供给</u>。

　　A. 供求　　　B. 供养　　　C. 供需　　　D. 提供

三、选择合适的词语填空：

1. 休息室可_____教师课间休息。

　　A. 供给　　　B. 供

2. 城市里需要的水果是由他们_____的。

　　A. 供给　　　B. 供

3. 我现在没有_____，等一会儿再说吧。

　　A. 工夫　　　B. 功夫

4. 他的_____不是短时间练出来的。

　　A. 工夫　　　B. 功夫

598. 公路　gōnglù　（名）	road, highway
一条公路	a road
修公路	build a road
599. 公司　gōngsī　（名）	company, corporation, firm
一家公司	a company
成立公司	establish a company
600. 公用电话　gōngyòng diànhuà	public telephone, pay phone
一部公用电话	a public telephone
打了几次公用电话	make several calls at a pay phone
601. 公元　gōngyuán　（名）	the Christian era, A.D.
公元前	B.C.
公元 1949 年	A.D.1949
602. 巩固　gǒnggù　（形、动）	consolidate, strengthen, enhance
巩固地位	strenthen one's position
巩固学的知识	consolidate what one has learned
603. 共　gòng　（副）	altogether
共有四门课	have four classes in all
604. 共产党　gòngchǎndǎng　（名）	Communist Party
建立共产党	found the Communist Party
605. 共同　gòngtóng　（形）	common, together
共同的愿望	common wishes
共同劳动/生活	work/live together
606. 狗　gǒu　（名）	dog
一条/一只狗	a dog
607. 构成　gòuchéng　（动）	constitute, form, compose, pose
构成句子/危害	form a sentence/constitute harm
由……构成	be composed of...
608. 构造　gòuzào　（名）	structure, construction
机器的构造	the structure of the machine
汉字的构造	formation of Chinese characters
609. 贡献　gòngxiàn　（动、名）	contribute, dedicate, devote
贡献力量	dedicate oneself to...
作出贡献	make contributions

一、请从左页中选择合适的词语填入括号：

1. 他家（　　）有五口人。

2. 中国（　　）建于 1921 年。

3. （　　）的理想使他们走到了一起。

4. 王女士养了一只可爱的小（　　）。

5. 沙漠对人类（　　）了极大的危害。

6. 要写好汉字，就要掌握它的（　　）。

7. 从市区到机场修了一条（　　）。

8. 办公室有一部（　　）。

9. 哥哥和他的朋友一起开了一家（　　）。

10. （　　）1949 年新中国成立了。

11. 经常复习才能（　　）学过的知识。

12. 科学家为人类的进步作出了伟大的（　　）。

二、给下列短语填上适当的量词：

1. 新修了一（　　）公路　　　　2. 办一（　　）电车公司

3. 安了很多（　　）公用电话　　4. 养了一（　　）小狗

三、选择合适的词语填空：

1. A．公路　　B．马路

(1) 市里的_____特别干净。

(2) 北京到天津有一条高速_____。

(3) 要发展山区经济，必须修_____。

2. A．共同　　B．一同

(1) "五一"节是全世界劳动人民的_____节日。

(2) 我们三个人是_____来到北京的。

(3) 要办好一个学校，需要全校师生_____努力。

3. A．构成　　B．构造

(1) 这部教材共由五本书_____。

(2) 老师画了一张人的身体_____图。

(3) 中华民族大家庭是由五十六个民族_____的。

(4) 汉字与英文字母的_____不同。

610. *够　gòu　（动）	reach（sth.by stretching）
把苹果够下来	reach for the apple
够不着	cannot reach far enough
611. 估计　gūjì　（动、名）	estimate，reckon；calculation，appraisal
估计一下儿结果	estimate the outcome
正确的估计	correct estimation
612. 姑姑　gūgu　（名）	aunt，father's sister
613. 骨头　gútou　（名）	bone
一根骨头	a piece of bone
一块骨头	a piece of bone
614. 鼓　gǔ　（名）	drum
敲鼓	beat drums
一个/一面鼓	one drum
615. 鼓励　gǔlì　（动、名）	encourage；encouragement
互相鼓励	encourage each other
对……应该鼓励	should encourage...
鼓励了一下	did sth.to encourage
得到爸爸的鼓励	be encouraged by one's father
616. 鼓舞　gǔwǔ　（动、名）	encourage，inspire；inspiration，couragement
鼓舞(着)我们积极向上	encourage us to make progress
受到好消息的鼓舞	be encouraged by the good news
对……是一种鼓舞	be an encouragement to...
617. 鼓掌　gǔ zhǎng	applause，clap one's hands
鼓掌欢迎	clap one's hands to welcome
鼓起掌来	start an applause
鼓了五分钟的掌	The applause lasted for five minutes.
618. 古　gǔ　（形）	ancient
古汉语	archaic Chinese
619. 古代　gǔdài　（名）	ancient times
古代文化/社会	ancient culture/society
在古代	in ancient time

一、请从左页中选择合适的词语填入括号：

1. 哥哥考上大学对弟弟是一种（　　　）。

2. 爸爸（　　　）我学好外语。

3. 英雄的故事（　　　）着我们勇敢战斗。

4. 他看到孩子有进步，就不断地（　　　）孩子。

5. 让我们（　　　）感谢他对我们的帮助！

6. 应该保护（　　　）树。

7. 代表们一致（　　　）通过了政府报告。

8. 他不仅对现代史有研究，对（　　　）史也有研究。

9. （　　　）这次 HSK 你能过六级。

10. 她对自己没有正确的（　　　）。

11. （　　　）结婚后就跟丈夫一起出国了。

12. 老人滑倒后，小腿的（　　　）被摔断了。

13. 为了庆祝春节，他们又敲（　　　），又打锣，非常热闹。

14. 小弟弟（　　　）不着树上的梨。

二、用"鼓励"和"鼓舞"填空：

1. 老师（　　　）学生努力学习。　　2. 政府工作报告真（　　　）人。

3. 我们应当（　　　）先进。　　　　4. 这个好消息使我深受（　　　）。

5. 他不断得到组织的帮助和（　　　）。　6. 他的话使我们受到（　　　）。

三、选择合适的词语填空：

1. A. 古代　　B. 古老　　C. 古迹　　D. 古

(1) 他家藏有很多_____画儿。

(2) 中国_____有很多伟大的发明创造。

2. A. 估计　　B. 猜　　　C. 计算　　D. 考虑

(1) 快说吧，别让大家_____了。

(2) 你对自己的能力_____得太高了。

(3) 我_____这件事让小李去办比较好。

(4) 这道题我不会_____。

620. 古迹　gǔjì　（名）	historic site
很多处古迹	many historic sites
参观北京的古迹	visit historic sites in Beijing
621. 古老　gǔlǎo　（形）	age-old, ancient
古老的城市/国家	an ancient city/country
622. *故事　gùshi　（名）	story
电影的故事性	the plot of a movie
623. 故乡　gùxiāng　（名）	hometown, country
告别故乡	leave one's hometown
第二故乡	the second hometown
回/去故乡	return to one's hometown
624. 故意　gùyì　（形）	on purpose, intentionally, wilfully
故意地说	speak intentionally
故意走开	leave on purpose
是/不是故意的	intentionally/not intentionally
625. 顾　gù　（动）	take care of, attend to
只顾别人,不顾自己	be concerned only with others at the cost of neglecting oneself
光顾聊天,忘了做饭	be too absorbed in chatting to think of cooking
顾得上/不上	can/cannot attend to
626. 顾客　gùkè　（名）	customer, shopper, client, patron
一个/一位顾客	a customer
627. *刮　guā　（动）	shave, scrape, scratch
刮脸/刮胡子	shave one's beard
628. *挂　guà　（动）	be anxious, be concerned about
挂在心上	have sth. always in one's mind
629. 挂号　guà hào	register (at a hospital,etc.)
挂一个号	register
挂号证/挂号处	registration card/office
挂得上/不上号	succeed in registering/fail to register
630. 拐　guǎi　（动）	turn, change direction
向左/向右拐	turn left/right
往东/往西拐	turn to the east/west
拐得过去/拐不过去	can/cannot make the turn

一、请从左页中选择合适的词语填入括号：

1. 对不起，我不是（　　）弄脏你的衣服的。

2. 他不是忘了，是（　　）不来的。

3. 他起晚了，没（　　）得上吃早饭就上课去了。

4. 别光（　　）看电视，忘了做作业。

5. 那家饭馆的菜做得很好又很便宜，所以（　　）很多。

6. 去医院看病得先（　　）。

7. 请有名的大夫看病，有时可能（　　）。

8. 在交通路口汽车向右（　　）不受限制。

9. 别的车把前边的路口堵住了，我们的车（　　）不过去。

10. 北京有很多名胜（　　）。

11. 老人有三十多年没回（　　）了。

12. 老头儿（　　）脸后就显得年轻了。

13. 我们应该时时把交通安全（　　）在心上。

14. 北京是一座（　　）而年轻的城市。

15. 这篇小说没有（　　）性，不吸引人。

16. 那个医院好，什么时候去都（　　）得上号。

二、选择与划线词语意思最相近的解释：

1. 应该做一个既顾工作又顾家的好丈夫。

　　A. 看　　　　　B. 照管　　　C. 回顾　　　D. 顾虑

2. 你们光顾说笑了，我敲门也没听见。

　　A. 看　　　　　B. 照顾　　　C. 注意　　　D. 顾虑

3. 他骑自行车拐得太猛，摔倒了。

　　A. 走路不稳　　B. 转变方向　C. 拐子　　　D. 拐骗

4. 他虽人在外地，心里却天天都挂着父母。

　　A. 登记　　　　B. 连接　　　C. 不放心　　D. 使物体附在某处

5. 把你的衣服挂到衣服架子上。

　　A. 登记　　　　B. 连接　　　C. 不放心　　D. 使物体附在某处

6. 到医院看病得先挂号。

　　A. 登记　　　　B. 连接　　　C. 不放心　　D. 使物体附在某处

631. 怪　guài　（形）　　　　strange, odd, queer
　　怪人/怪事　　　　　　　a strange man/thing
　　样子很怪　　　　　　　look strange
　　感到/觉得怪　　　　　　feel wierd

632. *关　guān　（动）　　　lock up,（of a business）close down
　　晚上九点关门　　　　　close at 9 p.m.
　　公司只好关门　　　　　The company had to close down.

633. 关键　guānjiàn　（名、形）　key point
　　事情的关键　　　　　　the crux of the matter
　　关键问题　　　　　　　the key issue
　　关键在于　　　　　　　the key lies in...

634. 关于　guānyú　（介）　　about
　　关于出国留学的问题　　the question about studying abroad
　　关于考试,他做了说明。He gave some explanatins about the exam.

635. 关照　guānzhào　（动）　keep an eye on, look after
　　关照朋友一下　　　　　take care of one's friends
　　感谢对……的关照　　　thank sb. for looking after...

636. 官　guān　（名）　　　official, officer
　　一位小官　　　　　　　a junior official
　　做官/当官　　　　　　　be an official

637. 观察　guānchá　（动）　observe, watch, survey
　　观察病情　　　　　　　keep a patient under observation
　　观察一下　　　　　　　make an observation

638. 观点　guāndiǎn　（名）　point of view
　　政治/经济观点　　　　　political/economic viewpoints
　　一种/一个观点　　　　　a viewpoint

639. 观众　guānzhòng　（名）　audience, spectator, viewer
　　一个/一名观众　　　　　an audience

640. 管　guǎn　（动）　　　manage, administer
　　管教学工作　　　　　　be in charge of teaching
　　管吃/管住　　　　　　　provide food and lodging
　　管孩子　　　　　　　　take care of the child

一、请从左页中选择合适的词语填入括号：

1. 三弟，我女儿将到你们市上学，请你多（　　）。

2. 校长在会上讲了（　　）学校的发展问题。

3. 当了（　　）一定不能忘记群众利益。

4. 作家要深入群众，（　　）生活，才能写出好作品。

5. 姐姐和妹妹的（　　）不一样，所以常吵架。

6. 他给老板干活，老板（　　）吃住，另外每月再给一千元工资。

7. 因为家家都有电视机，如果电影票太贵，（　　）就会少。

8. 这孩子不听话，得让老师好好（　　）一下他。

9. 他的名字很（　　），像个女人的名字。

10. 她平时爱说爱笑，今天却没有一句话，我觉得很（　　）。

11. 要想办好学校，培养大量优秀教师是（　　）。

12. 那家商店早上九点开门，晚上八点（　　）门。

二、选择与划线词语意思最相近的解释：

1. 王老师在学校<u>管</u>科研工作。
   　A. 供给　　　　B. 负责　　　　C. 管教　　　　D. 保管

2. 家长都要<u>管</u>好自己的孩子。
   　A. 供给　　　　B. 负责　　　　C. 管教　　　　D. 保管

3. 工人上班，工厂<u>管</u>一顿午饭。
   　A. 保管　　　　B. 过问　　　　C. 管教　　　　D. 供给

4. 那个人的样子长得真<u>怪</u>。
   　A. 批评　　　　B. 责备　　　　C. 不平常　　　　D. 挺

三、观察用"关于"组成的介词短语做状语和做定语时的特点并填空：

1. <u>关于</u>住房<u>问题</u>，我们下次再讨论。

2. 他从书店买了一本<u>关于</u>纠正发音的书。
   做状语时，只能用在_____，做定语时，后边常有_____。

四、用"对于"或"关于"填空：

1. 我从图书馆借了几本_____汉语语法的书。

2. 我听到了不少大家_____这个问题的意见。

3. 这种情况_____我们很不利。

4. _____今年的工作计划，我们下次讨论。

641. 管理　guǎnlǐ　（动）	manage, run, supervise
管理一个公司	run a company
管理一下资料	take care of the materials
管理水平	management level
642. 冠军　guànjūn　（名）	champion
排球冠军	the volleyball champion
获得冠军	win the championship
643. 罐头　guàntou　（名）	jar, tin, tinned food, canned food
一个鱼罐头/水果罐头	a tin/can of fish/fruit
644. 贯彻　guànchè　（动）	carry out or through
贯彻会议精神	act in the spirit of the meeting
认真贯彻	implement earnestly
645. 光　guāng　（名）	light
一道太阳光/灯光	a ray of sunshine/light
646. 光　guāng　（形）	use up, finish, shiny
吃光/花光/用光	use up one's food/all one's money
这种纸很光。	This kind of paper is very glossy.
647. 光　guāng　（副）	only, merely
不能光看缺点	Do not just pay attention to one's shortcoming.
648. 光辉　guānghuī　（名、形）	radiance, brilliance; brilliant
太阳的光辉	the radiance of the sun
光辉的历史	glorious history
649. 光明　guāngmíng　（形）	light, bright, promising
前途光明	bright future
650. 光荣　guāngróng　（名、形）	glory; glorious
光荣的工作	a job of honour
祖国的光荣	the glory of the motherland
651. 光线　guāngxiàn　（名）	light, ray
光线好/暗/强	well-lighted/dim-lighted/strong light
一道光线	a beam of light
652. 广场　guǎngchǎng　（名）	public square
天安门广场	Tian'an men Square

一、请从左页中选择合适的词语填入括号：

1. 小王是校运动会百米赛跑的（　　）。

2. 现在市场上新鲜水果很多，所以去商店买水果（　　）的人较少。

3. 我们要积极（　　）党的方针政策。

4. 去参观的人比较多，（　　）他们班就有十几个。

5. 他是为人民服务的（　　）榜样。

6. 人类的前途（　　）。

7. 房间的楼层越高，（　　）越好。

8. 他为保卫祖国而（　　）牺牲。

9. 应该提高干部的（　　）水平。

10. 中国历史博物馆的西边是（　　）。

二、读下列词语，观察名词做"光"和"光线"的定语时结构有什么不同：

　　　　灯光　　火光　　电光　　月光　　太阳的光线　　灯的光线

做"光"的定语时，后边＿＿＿＿＿＿；做"光线"的定语时，后边＿＿＿＿＿。

三、选择与划线词语意思最相近的解释：

　　　　A. 只　　　　B. 完　　　　C. 光滑　　　　D. 明亮

1. 我的钱已经花光了。　　（　　）

2. 不能光看到别人的缺点，看不到别人的优点。　　（　　）

3. 地板擦得很光。　　（　　）

四、选择合适的词语填空：

　　　　A. 光辉　　　B. 光荣　　　C. 光明　　　D. 光线

1. 她＿＿＿＿＿地出席了全国妇女大会。

2. 太阳的＿＿＿＿＿照在大地上。

3. 窗户小，屋里的＿＿＿＿＿太暗。

4. 做人就要＿＿＿＿＿正大。

五、用"管"或"管理"填空：

1. 这个工厂实行了民主＿＿＿＿＿。

2. 这不是我的事，我不能＿＿＿＿＿。

3. 商品质量有问题我们＿＿＿＿＿换。

4. 他很有＿＿＿＿＿经验。

653. 广大　guǎngdà　（形）　vast, wide, extensive
广大(的)农村　wide countryside
面积广大　vast in area

654. 广泛　guǎngfàn　（形）　wide, extensive, wide-ranging
内容广泛　a wide range of contents
广泛的基础　extensive basis
广泛了解情况　understand the situation from all sides

655. 广告　guǎnggào　（名）　advertisement
登了一条广告　put an ad. in a newspaper, magazine, etc.
播广告节目　broadcast an ad. program

656. 广阔　guǎngkuò　（形）　vast, wide, broad
广阔的草原　vast grassland
前途广阔　bright future

657. 逛　guàng　（动）　stroll, roam, ramble
逛马路/北京　roam the streets/visit Beijing

658. 规定　guīdìng　（动、名）　stipulate, set; regulations, rules
规定时间　set the time
一个/一条规定　a rule

659. 规律　guīlǜ　（名）　regular pattern; law
历史规律　laws of history
发现一条规律　discover a law

660. 规模　guīmó　（名）　scale, scope, dimensions
学校的规模　the size of a school

661. 鬼　guǐ　（名）　ghost
有鬼/怕鬼　there is sth. fishy; have a guilty conscience/be afraid of ghosts

662. 跪　guì　（动）　kneel, go down on one's knees
下跪　kneel down
跪在地上　go down on one's knees

663. 滚　gǔn　（动）　roll, tumble
球滚下去了。　The ball is rolling down.

664. 锅　guō　（名）　pot, wok
一口饭锅　a rice pot

一、请从左页中选择合适的词语填入括号：

1.乒乓球运动在中国开展得很（　　）。

2.我们要开发西部（　　）地区。

3.星期六他和女朋友（　　）商场去了。

4.（　　）的草原上牛羊成群。

5.现在报纸上的商品（　　）特别多。

6.学校（　　）上课不能迟到。

7.北京市的建设（　　）一直很大。

8.生活没有（　　）对健康不利。

9.纸袋掉在地上，里面的水果（　　）得到处都是。

10.用铁（　　）炒菜对健康有好处。

11.世界上根本就没有（　　）。

12.封建时代，老百姓见了官常要下（　　）。

二、"广大"表示面积，空间大，常做定语、谓语；

"广泛"表示涉及的方面广，范围大，常做状语、定语，也做谓语；

"广阔"形容地域、水域大而宽，也用于抽象事物，如"世界、前景、前途"等，做定语、谓语。

用"广大、广泛、广阔"填空：

1.（　　）地区　　　2.（　　）的田野　　　3.内容（　　）

4.前途（　　）　　　5.（　　）的自由　　　6.（　　）地阅读

7.（　　）的海洋　　8.（　　）地交际　　　9.（　　）国土

10.兴趣（　　）　　　11.土地面积（　　）　　12.（　　）的民主

三、选择合适的词语填空：

A.广大　　　　B.广泛　　　　C.广阔　　　　D.广告

1.两国领导人_____地交换了意见。

2.这种产品有_____的前途。

3.他愿为_____农村作贡献。

4.我能读懂商业_____。

5.他接触的东西很_____。

6.武术运动在我国有_____的群众基础。

四、给下列名词填上适当的量词：

1.一_____规律　　　2.一_____锅

3.一_____广告　　　4.一_____规定

665. 国际 guójì （名）	international, world
国际关系/地位	international relationship/status
666. 国民党 guómíndǎng （名）	the Kuomintang（KMT）
国民党统治时代	the age of Kuomintang's reign
667. 国王 guówáng （名）	king
聪明的国王	a smart king
668. 果然 guǒrán （副）	really, as expected
果然下雨了	It did rain as predicted.
669. *过 guò （动）	exceed, go beyond
过了规定的日子/时间	pass the deadline
670. *过 guò （助）	*an auxiliary used after a verb to express past actions or experiences*
唱过/听过	once sang/have heard
671. 过程 guòchéng （名）	course, process
学习过程	the process of study
672. *过来 guò lái	*used after a verb to indicate motion towards the speaker*
把书翻过来	turn over the book
673. 过年 guò nián	celebrate the New Year
过新年	celebrate the New Year
674. *过去 guò qù	*used after a verb to indicate turning away from the speaker*
转过脸去	turn over one's head

H

675. *还 hái （副）	still, yet, nevertheless
今天比昨天还冷。	It is colder today than yesterday.
676. *还是 háishi （副）	*an adv. indicating a relatively satisfactory choice ofter a comparison*
还是自行车方便	Biking is more convenient after all.
677. *海 hǎi （名）	a great number of people or things coming together
人海/火海	sea of people/fire
海量	enormous potential for alcohol consumption
678. 海关 hǎiguān （名）	customs
海关检查	customs inspection
679. 海洋 hǎiyáng （名）	ocean
海洋性气候	maritime or marine climate

一、请从左页中选择合适的词语填入括号：

1. 中国在 1949 年以前是（　　　）统治时代。

2. 要真正认识一个人，的确需要一个（　　　）。

3. 一个国家的经济飞快发展，（　　　）地位自然会高。

4. 那个时代，谁敢反对（　　　），就杀谁的头。

5. 都说杭州是个好地方，我到那里一看，（　　　）不假。

6. 我们的友谊比山（　　　）高，比海（　　　）深。

7. （　　　）坐出租车快。

8. 你真能喝酒，真是（　　　）量。

9. 人们的生活水平提高了，天天都像（　　　）一样。

10. 日本是（　　　）性气候。

11. 出入（　　　）时，要把护照拿出来。

二、选择与划线词语意思最相近的解释：

1. A. 经过；通过　　B. 超过　　C. 动作完毕　　D. 曾经发生

（1）已经过了下班时间。（　　　）

（2）我已经吃过药了。（　　　）

（3）他在我们学校学习过。（　　　）

（4）火车快要过山洞了。（　　　）

2. A. 从另一地点向说话人所在地来　　B. 动作向说话人所在地移动
C. 正面对着自己　　　　　　　　　D. 回到原来正常的状态

（1）他转过脸来，看了我一眼。（　　　）

（2）汽车快过来了，准备上车吧。（　　　）

（3）你坐过来，离我近点儿。（　　　）

（4）衣服穿反了，你把它翻过来。（　　　）

3. A. 现在以前的时期　　B. 人或物体自动向另一地点去
C. 通过动作向另一地点去　　D. 反面对着自己

（1）他转过身去，不再说话。（　　　）

（2）我把球扔了过去。（　　　）

（3）汽车从桥上过去了。（　　　）

680. 害　hài　（名、动）　harm, evil, disaster; do harm to（v.）

　　虫害/风害　pest disaster/wind damage

　　有害　harmful

　　害人害己　bring harm to oneself and others

681. 害处　hàichu　（名）　harm, damage

　　吸烟的害处　the harm of smoking

682. 害怕　hàipà　（动）　fear, be afraid, be frightened

　　害怕考试　be afraid of exams

　　害怕出问题　be afraid of sth. going wrong

　　感到害怕　feel frightened

683. 含　hán　（动）　contain, keep/have in the mouth

　　口里含一片药　have a pill in the mouth

684. 寒冷　hánlěng　（形）　cold, chilly

　　寒冷的冬天　cold winter

　　气候寒冷　cold climate

685. *喊　hǎn　（动）　call, shout, cry, yell

　　把小王喊来　call Xiao Wang in

686. 汗　hàn　（名）　sweat, perspiration

　　出了一身/一头汗　sweat all over

687. 行　háng　（量）　line, row

　　一行字　a line of words

　　两行树　two lines of trees

688. 航空　hángkōng　（名）　aviation

　　航空信　airmail

　　航空安全　aviation safety

689. 毫不　háo bù　not a bit, not at all

　　毫不奇怪　not surprising at all

690. 毫无　háo wú　have no, without any...

　　毫无办法/道理　have no way out/without any reasons

691. 好好儿　hǎohāor　（形）　in perfectly good condition

　　老房子仍然好好儿的。　The old house is in good shape.

　　好好儿复习　review earnestly

一、请从左页中选择合适的词语填入括号：

1. 每页纸可以打二十六（　　）字。

2. 我跑完一千五百米后出了一身（　　）。

3. 我（　　）了他好几声，他也没听见。

4. 爱好冬天游泳的人一点儿也不怕河水（　　）。

5. 往国外寄信都寄（　　）。

6. 虽然没到国外留学，他也（　　）后悔。

7. 我没想到让我在大会上发言，所以（　　）准备。

8. （　　）的自行车，让他弄坏了。

9. 我们决不做（　　）的事。

10. 要想让蔬菜长好，必须消灭虫（　　）。

11. 生活没规律，（　　）是很大的。

12. 我的嗓子痛，得（　　）一片药。

13. 我们不应该（　　）困难。

二、用"毫不"和"毫无"填空：

1. _____客气　　2. _____办法　　3. _____后悔

4. _____保留　　5. _____奇怪　　6. _____经验

三、判断正误，对的划"√"，错的划"×"：

1. 你买东西不交钱毫无道理。　（　　）

2. 刚开始办厂时，我们毫不经验。　（　　）

四、选择与划线词语意思最相近的解释：

A. 正常；完好　　B. 认真地　　C. 尽力地　　D. 尽情地

1. 放假后，咱们一定要好好儿玩一玩。（　　）

2. 选男人不是小事，你可要好好儿想一想。（　　）

3. 你放心，我一定好好儿照顾你。（　　）

4. 昨天他还好好儿的，怎么今天就死了呢？（　　）

692. *好　hǎo　（形）	*used after a verb to inticate the completion of an action*, be ready (to do), OK
准备好	get ready
好写/好学	easy to write/learn
真好使	work well
好，听你的。	OK, let's do it your way.
693. *好　hǎo　（副）	quite
好几个	quite a few
好半天	quite a long time
694. 好久　hǎojiǔ　（名）	for a long time
好久不见了	haven't seen each other for a long time
等了好久	wait for a long time
695. 好容易　hǎoróngyì　（副）	manage with great difficulty
好（不）容易才考上大学	have a hard time to get into college
好（不）容易才找到了他	have a hard time to find him
696. 好听　hǎotīng　（形）	melodious, pleasant to ear
好听的歌	melodious songs
697. 好玩儿　hǎowánr　（形）	interesting, amusing, fun
这小孩儿真好玩儿。	What a cute child!
698. 好些　hǎoxiē　（形）	quite a few, quite some
好些东西	quite a few stuff
买了好些呢	have bought a lot
699. *号　hào　（名）	size
小号/中号/大号衣服	small/medium/large size
700. 号码　hàomǎ　（名）	number
电话/房间号码	telephone/room number
701. 号召　hàozhào　（动、名）	appeal to the masses to join in some project; call
号召大家节约用水	call on everybody to conserve water
发出号召	make a call
702. 好　hào　（动）	love, be fond of, like
好读书/学习	be fond of reading/studying
好生气/好哭	apt to be angry/tend to cry

114

一、请从左页中选择合适的词语填入括号：

1. 我喜欢这支曲子，因为它（　　　）极了。

2. 日文中有汉字，所以日本人觉得汉字（　　　）。

3. 妈妈把饭做（　　　）后他才回家。

4. 他已经学了（　　　）几年外语了。

5. 我没等（　　　）他就来了。

6. 你（　　　）才来到北京怎么又不在这儿学习了？

7. 二十三号的鞋有点儿小，我得穿二十四（　　　）的。

8. 请把你的电话（　　　）告诉我。

9. 我还有（　　　）事没办完。

10. 他特别（　　　）跳舞。

11. 政府（　　　）青年人晚结婚。

12. 他觉得爬山没意思，还是游泳（　　　）。

二、选择与划线词语意思最相近的解释：

　　　A. 表示完成或达到完美的地步　　　B. 容易

　　　C. 表示赞许、同意、结束等语气　　　D. 表示数量多或时间久

1. <u>好</u>，你别说了。　（　　　）

2. 我的文章已经写<u>好</u>了。　（　　　）

3. 这个问题很<u>好</u>回答。　（　　　）

4. <u>好</u>，我们赢了。　（　　　）

5. 他<u>好</u>几门课没及格。　（　　　）

6. <u>好</u>，就照你说的办。　（　　　）

三、用"号"和"号码"填空：

1. 他是一＿＿＿＿运动员。

2. 我得穿二十五＿＿＿＿的鞋。

3. 你记住我的电话＿＿＿＿了吗？

4. 他家的门牌＿＿＿＿是多少？

703. 和平　hépíng　（名）　　　　peace

热爱和平　　　　love peace

和平力量　　　　forces of peace

704. 合　hé　（动）　　　　close, run jointly

合上书　　　　close the book

合开一个小店　　　　run a store in partnership

705. 合理　hélǐ　（形）　　　　reasonable

要求合理　　　　reasonable request

合理地安排　　　　reasonable arrangement

使用得合理　　　　use in a reasonable way

706. 合同　hétong　（名）　　　　contract

签订一个合同　　　　sign a contract

商业合同　　　　business contract

707. 合作　hézuò　（动）　　　　cooperate, collaborate

互相合作　　　　collaborate with each other

合作过一次　　　　collaborated once

708. 盒　hé　（名、量）　　　　box, case

饭盒　　　　lunch-box

一盒烟/糖　　　　a box of cigarettes/candy

709. 嘿　hēi　（叹）　　　　hey

嘿,你等一等。　　　　Hey, wait for a while.

嘿,我考上大学了!　　　　Hey, I got admitted into a college.

嘿,衣服掉到楼下去了。　　　　Hey, the dress dropped downstairs.

710. *黑　hēi　（形）　　　　dark

天黑了。　　　　It is dark.

711. 黑暗　hēi'àn　（形）　　　　dark

房间里黑暗　　　　It is dark in the room.

社会黑暗　　　　dark society

712. 恨　hèn　（动）　　　　hate, resent

恨坏人　　　　hate bad people

恨他不努力学习　　　　be disappointed in his not studying hard

一、请从左页中选择合适的词语填入括号：

1. 我和小王、小李（　　）住一个房间。

2. 应该（　　）地安排时间。

3. 双方很好地（　　）才能把事情办好。

4. 买房前一定要与卖方签订（　　）。

5. 现在听写，请大家（　　）上书。

6. 这个饼干（　　）很漂亮。

7. 天（　　）了，该开灯了。

8. 当时，由于社会（　　），中国的科学技术发展很慢。

9. （　　），我们又赢了。

10. 他打你骂你，难道你不（　　）他吗？

二、选择与划线词语意思最相近的解释：

1. A. 闭；合拢　　　B. 折合　　　　　C. 结合到一起　　　D. 符合

(1) 我们合写了一本书。　（　　）

(2) 大家把书合上后再回答问题。　（　　）

(3) 他笑得合不上嘴。　（　　）

(4) 他们弟兄俩合着买了一辆卡车。　（　　）

2. A. 像煤的颜色　　B. 没有光线　　　C. 不公开的　　　D. 坏了

(1) 洞里很黑，什么都看不见。　（　　）

(2) 她的头发又黑又亮。　（　　）

(3) 天黑了，咱们回家吧。　（　　）

3. A. 招呼　　　　　B. 得意　　　　　C. 惊异　　　　　D. 笑声

(1) 嘿，你反而比我先到了。　（　　）

(2) 嘿，我又得了个第一名。　（　　）

(3) 嘿，别往前走了。　（　　）

(4) 嘿，你小心点儿，路太滑。　（　　）

(5) 嘿，我又赢了。　（　　）

(6) 嘿，冬天里下起雨来了。　（　　）

713. 哼　hēng　（动、叹）　snort, groan; hum

　　疼得直哼哼　groan with pain

　　哼,你有什么了不起!　Hum, you are nothing!

714. 红茶　hóngchá　（名）　black tea

　　喝红茶　drink black tea

　　一杯/一壶红茶　a cup/pot of black tea

715. 红旗　hóngqí　（名）　red flag

　　一面五星红旗　a Five-Star Red Flag

716. 猴子　hóuzi　（名）　monkey

　　一只/一群猴子　a monkey/a group of monkeys

717. 厚　hòu　（形）　thick

　　厚被子　thick quilt

　　衣服太厚　thick clothes

　　四十厘米厚　40 cms thick

718. *后边　hòubian　（名）　later

　　他一病,后边的事就没管。　After he fell ill, he didn't follow up on what he had been doing.

719. 后悔　hòuhuǐ　（动）　regret, remorse

　　后悔没参加考试　regret for having missed the exam

　　后悔了很长时间　keep regretting for a long time

　　后悔话/后悔事　regrettable words/things

720. 后来　hòulái　（名）　later, then, since then

　　后来努力学习了　Later, he studied hard.

　　后来的干部　succeeding cadres

721. 后面　hòumian　（名）　at the back, in the rear, later

　　礼堂后面　at the back of the auditorium

　　后面的人往前坐。　Those who are at the back please move forward.

　　后面的课文　subsequent text

722. 后年　hòunián　（名）　the year after the next

　　后年开始工作　begin to work the year after the next

723. 后天　hòutiān　（名）　the day after tomorrow

　　后天星期二。　It's Tuesday the day after tomorrow.

118

一、请从左页中选择合适的词语填入括号：

1. 有的人爱喝绿茶，有的人爱喝（　　　）。

2. 十月一日国庆节，家家门口都要挂（　　　）。

3. （　　　），他还没有我身体好呢。

4. 那个小孩儿的动作灵活得像一只（　　　）。

5. 冬天这个房间的温度太低，必须盖（　　　）被子。

6. 年青时不奋斗，年老时会（　　　）的。

7. 大哥今年是大学二年级，（　　　）就毕业工作了。

8. 明天是星期五，（　　　）星期六，咱们又可以去爬山了。

9. 我刚来北京时不习惯，（　　　）慢慢地习惯了。

10. 我先走了，（　　　）的事你们处理吧。

11. 山（　　　）有一个树林。

二、选择合适的词语填空：

1. A. 后　　　　　B. 后边

(1) 楼_____有个商店。

(2) 他住在_____的院子里。

(3) 大门已经关了，请从_____门走。

(4) 我正在路上走着，突然有人从_____拍了我一下。

2. A. 后来　　　　B. 以后

(1) 他去美国_____，又去了英国。

(2) 他开始学的是英语，_____又学了日语。

(3) 你_____不要迟到了。

三、选择与划线词语意思最相近的解释：

　　A. 位置靠后的　　　　　B. 次序靠后的

　　C. 后于现在所叙述的　　D. 过去某时之后的时间

1. 后边的同学往前坐。　（　　　）

2. 他的头碰到墙上，后边的事就不知道了。　（　　　）

3. 这个问题，我后边还要细说。　（　　　）

724. 呼 hū (动)	breathe out, exhale, shout
呼了一口气	exhale a long breath
呼口号	shout slogans
725. 呼吸 hūxī (动)	breathe, inhale
呼吸一下新鲜空气	breathe in fresh air
呼吸正常	breathe normally
停止呼吸	stop breathing
726. 壶 hú (名)	pot
一把水壶/茶壶	a kettle/tea pot
一壶茶	a pot of tea
727. 胡乱 húluàn (副)	perfunctorily, carelessly, casually, at random
胡乱吃东西	eat a hasty meal
胡乱要求	request without careful thinking
728. 胡子 húzi (名)	beard, moustache, whiskers
白胡子	white beard
刮胡子	shave one's beard
729. 糊涂 hútu (形)	muddled, confused
脑子糊涂	muddle-headed
糊涂思想	confused thoughts
730. 护士 hùshi (名)	nurse
当一名护士	become a nurse
731. 护照 hùzhào (名)	passport
办/检查护照	get/inspect a passport
一张/一本护照	a passport
732. 户 hù (名)	family, household
三百多户	three hundred families
十户人家	ten households
733. *花 huā (名、形)	things resembling flowers; coloured
冰花/雪花	ice flake/snow flake
花衣服	colourful clothes
734. 花园 huāyuán (名)	garden
美丽的花园	beautiful garden
一个花园	a garden

120

一、请从左页中选择合适的词语填入括号：

1. 爷爷每天早上都到公园里（　　）一下新鲜空气。

2. 进了饭馆，服务小姐一般都要先送来一（　　）茶。

3. 他看到自己的球队赢了，才深深地（　　）了一口气。

4. 爸爸的（　　）长得特别快，几乎每天都要刮。

5. 到街上可不要（　　）吃东西，不然，肚子就会出问题。

6. 关键的时候，脑子可不能犯（　　）。

7. 住院的病人既离不开医生的关心，也离不开（　　）的关照。

8. 你的出国（　　）办好了吗？

9. 应该把这里建成（　　）城市。

10. 天真冷，外面飘着（　　），窗上结着（　　）。

11. 这座新楼可以住二百来（　　）。

12. 其实老年妇女也可以穿（　　）衣服，这样才能显得年轻。

二、给下列名词填上适当的量词：

1. 一（　　）水壶　　2. 一（　　）护照

3. 一（　　）护士　　4. 一（　　）人家

三、选择与划线词语意思最相近的解释：

1. A. 花朵　　B. 形状像花的　　C. 有花纹的、颜色或种类错杂的　　D. 用

(1) 窗上结了冰花。（　　）

(2) 姑娘特别爱穿花衣服。（　　）

(3) 国庆节时，街上到处都是花。（　　）

(4) 有钱也不该胡乱花。（　　）

(5) 要想记住生词，必须花时间。（　　）

(6) 公园的花真漂亮。（　　）

(7) 我们家养了一只小花猫。（　　）

2. A. 把气体排除体外　　B. 大声喊　　C. 叫人　　D. 风声

(1) 说假话的孩子惊呼"狼来了，狼来了"，可是再也没人信他的话了。（　　）

(2) 大家都讨厌他呼出的烟味。（　　）

(3) 他长长地呼了一口气。（　　）

735. 划　huá　（动）　　row
　　　划了一小时船　　row (a boat) for an hour
736. 滑　huá　（形）　　slippery
　　　雨后路滑　　The road is slippery after the rain.
　　　冰上很滑　　slippery ice
737. 滑冰　huá bīng　　skate
　　　去滑冰　　go skating
　　　爱滑冰　　be fond of skating
　　　滑冰比赛　　skating competition
738. *画　huà　（动）　　draw, paint
　　　画线　　draw a line
　　　画钩(gōu)/画叉(chā)　　put a tick/cross
739. 画报　huàbào　（名）　　pictorial
　　　《中国画报》　　Chinese Pictorial
　　　一本/一种画报　　a pictorial/a kind of pictorial
740. 划　huà　（动）　　delineate, delimit
　　　划范围　　delimit the boundary
　　　划出来　　mark, highlight
741. 化　huà　（动）　　melt, thaw, dissolve
　　　雪化了。　　The snow has thawed.
　　　化铁　　melt the iron
742. *坏　huài　（形）　　*an adj. used as a complement to some verbs to indicate intensity*
　　　气坏了　　be beside oneself with rage
　　　忙坏了　　terribly busy
743. 坏处　huàichu　（名）　　drawback, disadvantage, negative aspect
　　　有坏处　　have drawbacks
　　　坏处多　　many negative aspects
744. 欢送　huānsòng　（动）　　see off, send off, bid farewell
　　　欢送毕业生　　send off graduates
　　　欢送会　　farewell party
745. *欢迎　huānyíng　（动）　　welcome
　　　欢迎参观　　Visitors are welcome.
　　　热烈欢迎　　warmly welcome

122

一、请从左页中选择合适的词语填入括号：

1. 雪路（　　）得很，你要特别小心。

2. 北京最冷的时候，才可以在湖上（　　　），否则容易出危险。

3. 为了加快经济发展，中央从广东省把海南岛（　　）出去了。

4. 请判断句子的正误，对的（　　）钩，错的（　　）叉。

5. 冻肉不能直接炒，必须（　　）冻后才能炒。

6. 他爱看（　　），因为上边既有照片，又有文字介绍。

7. 他们的技术好，船（　　）得比我们快。

8. （　　）外国留学生来我校学习。

9. 突然发现我的钱包丢了，可把我气（　　　）了。

10. 适当参加社会活动对孩子成长只有好处，没有（　　）。

11. 不少群众都到机场（　　）体育代表团出国参加比赛。

二、选择与划线词语意思最相近的解释：

　　A. 不好；恶劣　　　B. 变得不能用或有害　　　C. 表示动作的结果　　　D. 表示程度深

1. 我的车<u>坏</u>了。　　（　　）

2. 又刮大风，又下大雪，天气真<u>坏</u>。　　（　　）

3. 早上没吃饭，中午时觉得饿<u>坏</u>了。　　（　　）

4. 他喝酒太多，把胃喝<u>坏</u>了。　　（　　）

5. 听说哥哥找到了好工作，我高兴<u>坏</u>了。　　（　　）

6. 车都快开了，他还没把车票送来，真<u>坏</u>了事了。　　（　　）

三、选择合适的词语填空：

1. A. 坏处　　B. 害处

(1) 你怎么老往（　　）想？

(2) 厨房里的油烟出不去，对身体有（　　）。

(3) 有病不及时治（　　）很大。

(4) 这种车的优点是结实，（　　）是太费油。

2. A. 划　　　B. 画

(1) 他在纸上（　　）了一个西瓜。

(2) 北京的医院可以（　　）为三个级别。

(3) 我们希望老师把考试范围给（　　）一下。

(4) 要在不懂的地方（　　）个问号。

746. 环 huán （名）	ring, loop
耳环	earring
环形路	ring road
747. 环境 huánjìng （名）	environment
环境优美	beautiful environment
保护环境	protect the environment
748. *还 huán （动）	reciprocate, give in return
还礼	return a salute
还还价	bargain over prices
749. *换 huàn （动）	convert, exchange, change
把人民币换成美元	change RMB into US dollars
换零钱	get some small change
750. 慌 huāng （形）	panicky, flurried
心里很慌	be flurried
累得慌	be tired out
751. 黄瓜 huánggua （名）	cucumber
一根黄瓜	a cucumber
752. 黄油 huángyóu （名）	butter
一块黄油	a piece of butter
黄油面包	bread and butter
753. 皇帝 huángdì （名）	emperor
当/做了皇帝	become an emperor
家里的"小皇帝"	"a little emperor" in the family（referring to the only child in Chinese family, which is looked after not only by parents, but also by grandparents）
754. 灰 huī （形）	grey
灰衣服	grey dress
脸色发灰	ashen look
755. 挥 huī （动）	wave, shake
挥手/挥旗	wave hands/wave a flag
756. 恢复 huīfù （动）	renew, recover
恢复健康/关系	recover one's health/relationship
得到恢复	get recovered

124

一、请从左页中选择合适的词语填入括号：

1. 在大搞建设的同时，要重视（　　　）的保护。

2. 出国前应该用人民币（　　　）些美元。

3. 为了改善交通状况，北京建成了好几条（　　　）形路。

4. 在水果市场买东西，老板的价格往往比较高，应该（　　　）。

5. 就要考试了，可是我还没有复习好，心里很（　　　）。

6. 妈妈去菜市买了一棵白菜，二斤西红柿，还有几根（　　　）。

7. 爸爸的病主要是累的，休息几个月后，一定能（　　　）健康。

8. 面包里夹点儿（　　　）就更香更有营养。

9. 故宫曾经是（　　　）住的地方。

10. 我觉得他脸色发（　　　），一定是有什么病。

11. 我走出飞机，远远地就看见姐姐在向我（　　　）。

12. 穿（　　　）衣服人就显得老，这次你买件蓝衣服吧。

13. 爷爷的心脏不好，一走路就累得（　　　）。

二、选择与划线词语意思最相近的解释：

1. A. 交换　　B. 更换　　C. 兑换　　D. 取得

(1) 我去学校上班得<u>换</u>好几次车。　（　　　）

(2) 劳驾，请把我的一百元钱<u>换</u>成两个伍十元的。　（　　　）

(3) 咱们两家把房子互相<u>换</u>一下好吗？（　　　）

(4) 这个冰箱不行了，该<u>换</u>个新的了。（　　　）

2. A. 不镇静；慌乱　　B. 做补语，表示难忍受

(1) 他起晚了，<u>慌</u>得没吃早饭就上课去了。　（　　　）

(2) 天太热，我有点儿渴得<u>慌</u>，想喝水。　（　　　）

(3) 从山下爬到山上真有点儿累得<u>慌</u>。　（　　　）

三、请在下列句子的"还"后注音，并选择意思最相近的解释：

A. 归还　　B. 回报别人对自己的行动　　C. 仍旧　　D. 更加

1. 他还（　　　）在教室学习呢。　（　　　）

2. 我要去图书馆还（　　　）书。　（　　　）

3. 我打了他一下，他还（　　　）了我三下。　（　　　）

4. 那个城市的工资水平比这个城市还（　　　）高。　（　　　）

757. *回　huí　（动）	turn round
回过头/身	turn one's head/turn round
758. *回　huí　（量）	a measure word for frequency of occurrence, time, occasion
怎么回事	What is the matter?
这么/那么(一)回事	That's how it happened.
759. *回来　huí lái	back (to the speaker)
寄/送回来	mail/send back
760. *回去　huí qù	back (away from the speaker)
放/背回去	put back/take back
761. 回头　huítóu　（副）	later, some other time
回头见/再说	see you later/talk about it later
762. 回信　huí xìn	a letter in reply; write back
写/收到回信	write/receive a letter in reply
一封回信	a letter in reply
763. 回忆　huíyì　（动）	recall, recollect
回忆中学生活	recall the days of high school
回忆一下/起来	try to recall/remember
764. *会　huì　（助动）	can, be likely to, be sure to
会来的	will come
肯定会下雨	It will certainly rain.
765. 会场　huìchǎng　（名）	meeting-place, conference hall
布置会场	decorate the conference room
一个会场	a conference room
766. 会见　huìjiàn　（动）	meet, meet with
会见外国客人	meet with foreign guests
一次会见	an interview
767. 会客　huì kè	receive a visitor or guest
正在会客	be receiving visitors
会客时间	visiting hours
会了一次客	met with visitors once
768. 会谈　huìtán　（动、名）	talk, negotiate; talks
会谈两国贸易问题	negotiate bilateral trade issue
举行会谈	hold talks

一、请从左页中选择合适的词语填入括号：

1. 这本小说借出去了，还没还（　　　）。

2. 这里没有这个人，把他的信退（　　　）吧。

3. 我收到朋友好几封信，可是还没有写（　　　）。

4. 她坐的车已经开出去很远，还（　　　）过头（　　　）向我打招呼。

5. 年代太久了，那时候的事已经（　　　）不起来了。

6. 你没来参加考试是怎么（　　　）事？

7. 你放心，他既然说来就一定（　　　）来的。

8. 两国领导人举行了亲切的（　　　）。

9. 上课的时候不许（　　　）。

10. 国家领导人经常（　　　）外国客人。

11. 今天开大会，（　　　）在大礼堂。

二、选择与划线词语意思最相近的解释：

1. A. 从别处到原来的地方　　B. 答复　　C. 改变成相反的方向　　　D. 次；件

(1) 电影那么好，你也没来看，是怎么回事？（　　　）

(2) 你想好以后给我回电话。（　　　）

(3) 他明天回国。（　　　）

(4) 他气得回过身就走。（　　　）

(5) 他到中国来过好几回。（　　　）

2. A. 懂得怎样做或有能力做某事　　B. 表示有可能实现

　　C. 熟悉；通晓　　　　　　　　D. 见面

(1) 你现在去找他吧，他会在的。（　　　）

(2) 他正在会客。（　　　）

(3) 我刚来中国时一句汉语也不会说。（　　　）

(4) 这位中国青年会英语，能用英语聊天儿。（　　　）

(5) 我会找到一个好工作的。（　　　）

(6) 他什么都会，大家非常喜欢他。（　　　）

三、选择合适的词语填空：

1. 不着急，那本词典你＿＿＿＿＿再还吧。

　　A. 回来　　　B. 回头　　　C. 回去

2. 你等会儿再来吧，领导正在＿＿＿＿＿呢。

　　A. 会谈　　　B. 会客　　　C. 会见

769. 会议　huìyì　（名）	meeting, conference, convention
举行国际会议	hold an international conference
一次会议	a meeting
770. 昏迷　hūnmí　（动）	be in a coma
昏迷过去	faint away
昏迷了几天	remained unconscious for several days
771. 婚姻　hūnyīn　（名）	marriage, matrimony
婚姻幸福	a happy marriage
结束婚姻	end one's marriage
772. 混　hùn　（动）	mix, confuse
混在一起	be mixed up
混进去	sneak into
773. *活　huó　（名）	work, product
一批活儿	a batch of products
774. *活动　huódòng　（动、名）	manoeuvre, move; activity, movement
到处活动	manoeuvre everywhere
文艺活动	entertainment activities
775. 活泼　huópo　（形）	lively, vivid
很活泼	very lively
活泼可爱的姑娘	a vivacious and lovely girl
776. 活跃　huóyuè　（形、动）	dynamic, active; brisk, enliven
思想活跃	active mind
活跃生活	enliven one's life
777. 伙食　huǒshí　（名）	mess, food, meals
伙食便宜/好	cheap/good meals
伙食费	board expenses
778. 火　huǒ　（名）	fire
打开/关上火	turn on/off the stove
779. 火柴　huǒchái　（名）	match
一根/盒火柴	a match/a box of matches
780. 获得　huòdé　（动）	gain, get, acquire, obtain
获得支持/帮助	gain support/get help

一、请从左页中选择合适的词语填入括号：

1. 他因为摔倒而（　　　）过去。

2. 学校召开了一次教学工作（　　　）。

3. 春节前，学校有很多文艺（　　　）。

4. 他俩的（　　　）非常幸福。

5. 他只为自己的利益到处（　　　）。

6. 那个演员表演得很（　　　）。

7. 大学生们的思想很（　　　）。

8. 周末咱们应该组织一个舞会（　　　）一下生活。

9. 做完饭后要及时关上（　　　）。

10. 现在点烟、点火一般都不用（　　　）。

11. 在学校食堂吃饭的话每月的（　　　）费也得二百块。

12. 他的技术水平高，干出的（　　　）就是漂亮。

13. 在全国乒乓球比赛中，他（　　　）了冠军。

14. 这两种米不一样，要分开放，不要（　　　）在一起。

二、用"会"和"会议"填空：

1. 开＿＿＿＿＿＿　　2. 召开＿＿＿＿＿＿　　3. 休＿＿＿＿＿＿

4. 散＿＿＿＿＿＿　　5. 出席＿＿＿＿＿＿　　6. 教学＿＿＿＿＿＿

三、用"获得"和"得到"填空：

1. ＿＿＿＿＿＿房子　　2. ＿＿＿＿＿＿幸福　　3. ＿＿＿＿＿＿自由

4. ＿＿＿＿＿＿土地　　5. ＿＿＿＿＿＿冠军　　6. ＿＿＿＿＿＿好处

四、选择与划线词语意思最相近的解释：

A. 表示状态的持续　　　　B. 表示时间

C. 表示由正常到失去知觉　　D. 表示开始

1. 他一昏迷<u>起来</u>就很严重。　（　　　）

2. 他一直昏迷<u>着</u>。　（　　　）

3. 他昏迷<u>过去</u>了。　（　　　）

4. 他再昏迷<u>下去</u>就危险了。　（　　　）

5. 他昏迷了<u>好几天</u>。　（　　　）

781. 或　huò　（连）

对或错

或来或不来

782. 货　huò　（名）

一批货

J

783. 几乎　jīhū　（副）

几乎都熟了

几乎不及格

784. 基本　jīběn　（形）

基本学会了

785. 机床　jīchuáng　（名）

一台机床

786. 机关　jīguān　（名）

国家机关

机关干部

787. 机械　jīxiè　（名）

农业机械

机械手表

788. 积极　jījí　（形）

积极作用

工作积极

789. 积极性　jījíxìng　（名）

有/发挥积极性

积极性高

790. 积累　jīlěi　（动）

积累经验

积累下来

791. 激动　jīdòng　（形、动）

很激动

激动人心

792. 激烈　jīliè　（形）

战斗激烈

激烈地进行

十分激烈

---

or

correct or not

come or not

goods, commodity, product

a batch of goods

nearly, almost, all but

almost ripe

nearly fail the exam

in general, on the whole

almost learn well

machine tool

a machine tool

agency, office

government organizations

office staff

machinery, machine

agriculture machinery

mechanical watch

positive, active

a positive role

work actively

enthusiasm, ardour, initiative

have/take initiative

high enthusiasm

accumulate, gather

accumulate experience

have accumulated

excited; excite, agitate, inspire

very excited

be inspired

intense, fierce, heated

fierce fightings

be going on fiercely

very fierce

一、请从左页中选择合适的词语填入括号：

1. 大商店里一般都没有假（　　）。

2. 我们工厂买了一台新（　　）。

3. 果园的苹果（　　）都摘光了。

4. 这个好消息真（　　）人心。

5. 知识是慢慢（　　）的。

6. 应该让孩子看有（　　）意义的电视节目。

7. 在做（　　）运动之前应该先活动一下身体。

8. 年青人学外语的（　　）很高。

9. 小伙子工作特别（　　），领导很喜欢他。

10. 农业生产也要重视农业（　　）的作用。

11. 明天我们（　　）去爬山，（　　）去游泳。

12. 真危险，这次考试我（　　）不及格。

13. 当母亲找到失去的儿子时，心里很（　　）。

14. 教育部是一个重要的政府（　　）。

二、选择合适的词语填空：

1. A. 几乎　　B. 差点儿

　(1) 树上的苹果_____全熟了。

　(2) 我_____认不出他来。

　(3) 他的汉语说得_____跟中国人一样。

　(4) 车_____没撞着他。

2. A. 或　　　B. 还是

　(1) 我明天要去前门_____王府井。

　(2) 你明天是去前门_____去王府井？

　(3) 半年来她的身体_____好_____坏的。

3. A. 激动　　B. 激烈

　(1) 他流下了_____的泪水。

　(2) 在这个问题上，他们曾有过_____的争吵。

　(3) 什么事让你这么_____？

793. 极　jí　（副）　　　　　extreme, very

极好　　　　　　　　　very good

极快的速度　　　　　　extremely fast speed

794. 极其　jíqí　（副）　　　most, extremely

极其负责　　　　　　　very responsible

极其重要　　　　　　　extremely important

795. 集　jí　（名）　　　　　market, fair, collection

赶集　　　　　　　　　go to a country fair

小说集　　　　　　　　collection of novels

796. 集体　jítǐ　（名）　　　collective, group

关心集体　　　　　　　show concern for the collective

集体活动　　　　　　　collective activities

797. 集中　jízhōng　（动、形）　concentrate, centralize; concentrated, not scattered

集中力量　　　　　　　concentrate forces

人口很集中　　　　　　densely populated

798. 及　jí　（连）　　　　　and

书、本子及铅笔　　　　books, notebooks and pencils

799. 及格　jí gé　　　　　　pass

成绩及格　　　　　　　pass the exam

及不了格　　　　　　　fail the exam

800. 及时　jíshí　（形）　　in time, timely

治得及时　　　　　　　timely treatment

及时了解情况　　　　　size up the situation in time

801. *急　jí　（形）　　　　impatient, hasty

脾气急　　　　　　　　a quick temper

流得急　　　　　　　　swift current

急事　　　　　　　　　urgent matter

802. 急忙　jímáng　（形）　in a hurry, in a rush, hastily

急忙往家里赶　　　　　hurry home

急急忙忙去买票　　　　rush to buy a ticket

803. 即　jí　（动）　　　　　be, mean, that is

父亲即爸爸　　　　　　"father" means "papa"

一、请从左页中选择合适的词语填入括号：

1. 只有（　　）力量搞建设，才能提高人民的生活水平。

2. 大学生们大都是住（　　）宿舍。

3. 我知道你（　　）会骗人。

4. 那部电影给我留下的印象（　　）深刻。

5. 他发表的文章收进了那本论文（　　）里去了。

6. BTV，（　　）北京电视台的意思。

7. 一解放，这位大科学家（　　）家人就回到了祖国。

8. 他的病治得（　　），很快就恢复了健康。

9. 妹妹很担心这次考试（　　）。

10. 他一听说母亲病了，就（　　）往家里赶。

11. 我有点儿（　　）事，得去处理一下。

二、选择与划线词语意思最相近的解释：

　　　A. 激动不安　　B. 发怒；急躁　　C. 快而猛烈　　D. 紧急

1. 你打他，他当然要跟你急。　（　　）

2. 你别急，离开车时间还有一小时，能赶上车。　（　　）

3. 现在外边的雨特别急，你别出去。　（　　）

4. 晚上去医院看病，得挂急诊号。　（　　）

三、用"极"和"极其"填空：

1. 他的态度（　　）好。

2. 他的态度（　　）严肃、诚恳。

3. 山上的空气新鲜（　　）了。

四、用"集中"和"集合"填空：

1. 去看节目的同学下午五点半（　　）。

2. 讨论会上大家的意见比较（　　）。

3. 要（　　）精力学好汉语。

4. 上体育课的同学现在到操场（　　）。

133

804. 级　jí（名）　　　　　　　grade, level, rank
　　　处级干部　　　　　　　officials at the county level
　　　四年级学生　　　　　　a fourth grade pupil

805. *挤　jǐ（形）　　　　　　crowdy, crammed, packed
　　　电车上很挤。　　　　　It is very crowdy on the trolley bus.

806. 技术员　jìshùyuán（名）　technical personnel
　　　一个技术员　　　　　　a technician

807. 季节　jìjié（名）　　　　season
　　　寒冷季节　　　　　　　cold season
　　　最美的季节　　　　　　the most beautiful season

808. *寄　jì（动）　　　　　　entrust, place
　　　对……不寄希望　　　　place no hope on ...
　　　把书寄放在朋友家　　　store the books in a friend's house

809. 计算　jìsuàn（动）　　　count, calculate, compute
　　　计算一下　　　　　　　calculate
　　　计算产量　　　　　　　calculate the output

810. 记得　jìde（动）　　　　remember
　　　仍然记得　　　　　　　still remember
　　　不记得　　　　　　　　do not remember
　　　记不得　　　　　　　　fail to remember

811. 记录　jìlù（动、名）　　take notes, note down; minutes（of a meeting）
　　　记录大家的发言　　　　record what people say
　　　会议记录　　　　　　　the minutes of a meeting

812. 记忆　jìyì（动、名）　　memorize; memory
　　　记忆生词　　　　　　　memorize new words
　　　美好的记忆　　　　　　sweet memory

813. 记者　jìzhě（名）　　　reporter, journalist
　　　体育记者　　　　　　　sports reporters
　　　记者招待会　　　　　　press conference

814. 既　jì（连）　　　　　　both ... and ..., as well as
　　　既便宜又好吃　　　　　cheap and delicious
　　　既大且甜　　　　　　　big as well as sweet
　　　既要苦干也要巧干　　　need to exert efforts and use strategies

一、请从左页中选择合适的词语填入括号：

1. 他们住在一个高（　　）饭店。

2. 一月份是北京最寒冷的（　　）。

3. 要改变命运，他只能（　　）希望于读书。

4. 哪里有大的体育比赛，（　　）就得到哪里去。

5. （　　）一般都要在工程师的指导下工作。

6. 时间太久了，那时的事我已经（　　）了。

7. 这道数学题太难，我（　　）不出来。

8. 留学生活给我留下了美好的（　　）。

9. 领导讲话，他都认真做了（　　）。

10. 他（　　）聪明又刻苦，真是个好孩子。

二、选择与划线词语意思最相近的解释：

A. 人或物紧挨着　　　B. 用身体排开人或物

C. 用压力使排出　　　D. 想办法腾出来

1. 车上的人太多，<u>挤</u>不上去。　（　　）

2. 她的工作就是<u>挤</u>牛奶。　（　　）

3. 不管多么忙，他也要<u>挤</u>时间学习。　（　　）

4. 礼堂里<u>挤</u>满了看节目的人。　（　　）

三、选择合适的词语填空：

A. 记　　B. 记忆　　C. 记得　　D. 记录

1. 那次失败给我留下了痛苦的＿＿＿＿＿＿＿。

2. 你下午＿＿＿＿＿＿着叫我一下。

3. 那是很久以前的事了，你还＿＿＿＿＿＿吗？

4. 这本书＿＿＿＿＿＿了他青少年时代的生活。

四、"又……又……"连接的两项在语义上是并列的，"既……又……"的后项比前项在语义上更为强调，请用"既"或"又"填空：

1. 晚会上，大家（　　）唱歌，又跳舞，高兴极了。

2. 你（　　）不聪明，又不努力，怎么能学好功课呢？

3. 这种家具（　　）漂亮，又不贵，当然买的人就多。

135

815. 既……也…… jì……yě…… as well as
　　　　既要苦练也要巧练 practise hard as well as ingeniously
816. 既……又…… jì……yòu both...and...
　　　　既平又宽 smooth and wide
　　　　既恨又爱 hate and love
817. 既然 jìrán （连） since, as, now that
　　　　既然病了，你就休息休息。 You should have a rest since you are ill.
　　　　既然你们同意，我也同意。 Now that you all consent, me too.
　　　　既然知道了，还问什么？ Now that you know all, why still ask?
818. 纪律 jìlǜ （名） discipline
　　　　遵守学校纪律 abide by the discipline of the school
819. 纪念 jìniàn （动、名） pay tribute to, commemorate; souvenir
　　　　纪念孙中山 in memory of Sun Yat-sen
　　　　留个纪念 keep sth. as a souvenir
820. 夹 jiā （动） press from both sides, clip, pinch
　　　　夹菜 pick up food with chopsticks
　　　　夹着书包 carry the schoolbag under one's arm
821. *家 jiā （名） person or family engaged in a certain trade
　　　　农家/厂家 peasant family/factory
822. 家伙 jiāhuo （名） fellow, guy
　　　　这家伙很聪明。 This guy is very bright.
823. 家具 jiājù （名） furniture
　　　　家具商店 furniture store
　　　　一件/一套家具 a piece/set of furniture
824. 家乡 jiāxiāng （名） hometown, country
　　　　热爱家乡 love one's hometown
　　　　家乡的习惯 customs of one's hometown
825. *加 jiā （动） add, increase
　　　　加上英文翻译 add English translation
　　　　加大/加快 increase/quicken
826. 加工 jiā gōng process, produce
　　　　原料加工 materials processing
　　　　加工毛衣 make sweaters
　　　　加一下工 work on sth.

一、请从左页中选择合适的词语填入括号：

1. 他们要结婚，摆的当然都是新（　　　）。

2. 他虽然到北京几十年了，可是还保留着（　　　）的习惯。

3. 商（　　　）都想利用春节的机会多卖点儿钱。

4. 教室里的座位不够用，又（　　　）了几把椅子。

5. 主人特别热情，吃饭时给客人又是倒酒，又是（　　　）菜。

6. 问题（　　　）已经解决了，还提它干什么？

7. 你（　　　）不吃，（　　　）不喝，更不睡，身体怎么能受得了呢？

8. 火车（　　　）安全，（　　　）舒服，所以火车比长途汽车受欢迎。

9. 学生必须遵守（　　　）。

10. 为了留作（　　　），会后大家在一起照了一张相。

11. 那张桌子不太好看，需要再（　　　）一下。

二、用"既"或"既然"填空：

1. （　　　）你来了，就别走了。

2. 你（　　　）来了，就别走了。

3. 他（　　　）聪明，又能干。

4. 那个房间（　　　）高大，又舒适。

三、选择与划线词语意思最相近的解释：

1. A. 家庭   B. 家庭所在的住所

   C. 经营某种行业的人家或具有某种身份的人   D. 掌握某种专门学识的人

   （1）一放假我就回家。　（　　　）

   （2）厂家正在想办法提高产品质量。　（　　　）

   （3）他家有三口人。　（　　　）

   （4）他爸爸是个画家。　（　　　）

2. A. 合在一起　　B. 增加　　C. 把本来没有的添上去　　D. 加以

   （1）每两年加一次工资。　（　　　）

   （2）文章的最后加了说明。　（　　　）

   （3）应该把几项得的分加在一起。　（　　　）

827. 加强　jiāqiáng　（动）	strengthen, intensify, enhance
加强纪律	tighten discipline
加强检查	intensify inspection
828. 加以　jiāyǐ　（动）	*a verb used before disyllabic verbs to indicate how to deal with the matter mentioned above*, give, do, make
加以研究/总结	do a study on something/summarize
829. *甲　jiǎ　（名）	nail, shell, carapace
手/脚指甲	fingernail/toenail
830. 假　jiǎ　（形）	false, fake, sham
假货	fake goods
假牙	false tooth
831. 价格　jiàgé　（名）	price
价格便宜	price of cheap
商品价格	commodity price
832. 价值　jiàzhí　（名）	value
有/没有价值	have/no value
学术价值	academic value
833. 架　jià　（量）	*a measure word for machines, aeroplanes, etc.*
一架货	a rack of goods
两架飞机	two airplanes
834. 假条　jiàtiáo　（名）	leave permit
写个假条	write a note asking for leave
835. 坚定　jiāndìng　（形、动）	firm, resolute; strengthen, reinforce, fortify
立场坚定	a firm stand
坚定了信心	fortify one's conviction
836. 坚决　jiānjué　（形）	firm, resolute, determined
坚决反对	firmly oppose
837. 坚强　jiānqiáng　（形）	strong, firm, staunch
坚强的战士	a staunch fighter
838. 尖　jiān　（形）	sharp, pointed, tip
针很尖	The needle is very pointed.

一、请从左页中选择合适的词语填入括号：

1. 应该养成及时剪（　　）的习惯。

2. 牙掉了没关系，可以到医院安（　　）。

3. 他是个老实人，从来不会说（　　）。

4. 病了应该写个（　　）请假。

5. 对出现的问题，必须马上（　　）解决。

6. 越是节假日的时候，越要（　　）保卫工作。

7. 今年很多商品的（　　）都比去年低。

8. 他的论文既有实用（　　），又有学术（　　）。

9. 在困难面前最需要（　　）。

10. 在教学改革的问题上，校领导的态度很（　　）。

11. 他的意志很（　　），不会随便改变主意。

12. 真说不清老教授家里有多少（　　）书，他的书太多了。

13. 铅笔要细一点儿，（　　）一点儿，字才容易写得小。

二、选择合适的词语填空：

1. 对一年来的工作应该认真_____总结。

　　A. 加　　　　B. 加以　　　　C. 加上

2. 这本书的_____不大。

　　A. 价值　　　B. 价格　　　　C. 价钱

3. 小心点儿，这笔太_____了，容易断。

　　A. 尖　　　　B. 窄　　　　　C. 细

三、"坚定"是指立场、主张、意志稳定、不改变；"坚决"是指态度、主张、行动不迟疑；"坚强"是指强固有力，压不倒。请选择"坚定""坚决"或"坚强"填空：

1. 立场（　　）　　2. 态度（　　）　　　3. 方向（　　）

4. 意志（　　）　　5. 性格（　　）　　　6.（　　）支持

7. 主张（　　）　　8.（　　）反对　　　9.（　　）要求

10.（　　）的人　　11.（　　）了信心　　12.（　　）主张

839. 尖锐 jiānruì （形）	sharp-pointed, sharp, piercing, high-pitched
尖锐的武器	a sharp-pointed weapon
尖锐的声音	piercing sound
840. 肩 jiān （名）	shoulder
左肩/右肩	left/right shoulder
并肩前进	walk shoulder by shoulder
841. 艰巨 jiānjù （形）	arduous, formidable
任务艰巨	The task is arduous.
艰巨的工程	a formidable project
842. 艰苦 jiānkǔ （形）	arduous, hard, tough
生活艰苦	a tough life
艰苦地研究	laborious investigation
843. *检查 jiǎnchá （动）	examine, inspect, check
检查问题/错误	examine problems/errors
844. 拣 jiǎn （动）	choose, select, pick out
拣书包	choose a schoolbag
拣到钱	find money
845. 捡 jiǎn （动）	pick up
捡到一块手表	find a watch (lost by other people)
捡起来	pick something up
846. *简单 jiǎndān （形）	(often used in the negative) commonplace, ordinary
经历简单	simple experience
能力不简单	extraordinary ability
847. 剪 jiǎn （动）	cut with scissors
剪头发	have one's hair cut
剪下来	cut off
848. 减 jiǎn （动）	reduce, subtract, deduct
减价	reduce the price
减去	deduct
849. 减轻 jiǎnqīng （动）	lighten, lessen, allay, alleviate
减轻任务/压力	reduce workload/pressure
850. 减少 jiǎnshǎo （动）	reduce, decrease, diminish
减少时间	reduce the time

一、请从左页中选择合适的词语填入括号：

1．学文化知识也是一种（　　　）的劳动。

2．把我国建设成为一个现代化的国家是全国人民光荣而（　　　）的任务。

3．我们应该手拉手（　　　）并（　　　）地迎接二十一世纪。

4．铅笔太（　　　）的话容易把纸弄破。

5．认真地（　　　）错误，才能真正地改正错误。

6．为了保护环境，应该把树上、路边的破旧塑料袋（　　　）起来。

7．这些外国留学生能用汉语演节目，真不（　　　）。

8．考卷共一百个题，满分是一百分，每错一题（　　　）一分。

9．报纸上的这篇文章很好，我想把它（　　　）下来。

10．他大学毕业后一直在学校工作，经历（　　　）。

11．通过吃药打针，他的病情（　　　）了很多。

12．随着中外交流的加强，中国留学生、外国留学生都不会（　　　），而只会增加。

二、选择与划线词语意思最相近的解释：

　　A．结构不复杂　　　B．容易理解或处理　　　C．粗略；不详细　　　D．智力平凡

1．他每次都能考一百分，真不<u>简单</u>。（　　　）

2．这么<u>简单</u>的道理你都不懂吗？（　　　）

3．你介绍的情况太<u>简单</u>了，应该再补充一下。（　　　）

4．打开机器，你就会发现里边的结构很<u>简单</u>。（　　　）

三、选择合适的词语填空：

　　A．减　　　B．减低　　　C．减轻　　　D．减少

1．由于军民的共同努力，大大＿＿＿＿＿＿＿＿＿了灾情。

2．我们要尽量＿＿＿＿＿＿＿＿＿浪费。

3．应该把过多的人数＿＿＿＿＿＿＿＿＿下来。

4．车开到校园里时应该＿＿＿＿＿＿＿＿＿速度。

5．活儿少时干活的人就得＿＿＿＿＿＿＿＿＿掉一半儿。

6．＿＿＿＿＿＿＿＿＿去生活费和给父母寄的钱，剩下的就不多了。

7．通过锻炼，她的体重＿＿＿＿＿＿＿＿＿了三公斤。

851. *见　jiàn　（动）	used after a verb indicating the result of an action
望见/闻见	see/hear
852. 箭　jiàn　（名）	arrow
射一枝箭	shoot an arrow
853. 渐渐　jiànjiàn　（副）	gradually, by and by
渐渐好起来	gradually get better
渐渐慢下来	gradually slow down
854. 建　jiàn　（动）	set up, establish, build
建医院/宾馆	build a hospital/hotel
855. 建立　jiànlì　（动）	build, start, establish, found
建立新中国	found the new China
建立外交关系	establish foreign relationship
856. 建议　jiànyì　（动、名）	propose, suggest, recommend; proposal, suggestion
建议听听群众意见	recommend to listen to people's opinions
给……提一个建议	make a suggestion to...
857. 建筑　jiànzhù　（名、动）	building, architecture; construct
高大的建筑	a tall building
建筑公路	construct a highway
858. 将　jiāng　（介）	a prep. used to introduce an object
将情况写清楚	write about the case clearly
859. 将　jiāng　（副）	will, be going to
将去外地	will go elsewhere
860. 将要　jiāngyào　（副）	will, be about to
将要完成/实现	will finish/come true
861. 奖　jiǎng　（名、动）	prize, award; praise, encourage, reward
得奖	win a prize
奖一辆汽车	award sb. a car
862. 奖学金　jiǎngxuéjīn　（名）	scholarship
得到一笔奖学金	get scholarship
863. 讲话　jiǎng huà	address, speak
讲了一次话	make a speech

一、请从左页中选择合适的词语填入括号：

1. 现在请张教授给我们（　　），大家鼓掌欢迎。

2. 最近你的身体不太好，（　　）你到医院检查一下。

3. 他在赛跑中得了第一名，学校（　　）了他一双高级运动鞋。

4. 他主要是靠（　　）解决生活费问题的。

5. 学校又新（　　）了一座宿舍楼。

6. （　　）工人为城市建设作出了巨大贡献。

7. 中国人民与世界各国人民都（　　）了友谊。

8. 放心吧，你的病会（　　）好起来的。

9. 你说话声音大一点儿，我才能听（　　）。

10. 那个国家射（　　）运动的水平很高。

11. 他（　　）自己的情况告诉了家里人。

12. 就在他（　　）实现自己的愿望之前突然病倒了。

二、选择与划线词语意思最相近的解释：

　　A. 看到　　　B. 会见；见面　　　C. 接触；遇到　　　D. 做补语，表示感觉到

1. 有个客人想<u>见</u>你，可以吗？　　（　　）

2. 冰一<u>见</u>热就化。　　（　　）

3. 这本书我在图书馆<u>见</u>过。　　（　　）

4. 远远地就能闻<u>见</u>咱家炒菜的香味了。　　（　　）

三、选择合适的词语填空：

　　A. 建　　　B. 建立　　　C. 建设　　　D. 建筑

1. 十年来，他们之间已_____起深厚的友谊。

2. 今年是我校_____校九十周年。

3. 他放弃国外的生活，回来_____自己的国家。

4. _____楼房，不能只强调速度，更要保证质量。

5. 这两个国家已_____正式外交关系。

6. 这一地区很需要_____一个水库。

四、判断正误，对的打"√"，错的打"×"：

1. 时间已将中午。　　（　　）

2. 离国已将要一年。　　（　　）

3. 劳动将要永远是光荣的。　　（　　）

864. 讲座　jiǎngzuò　（名） lecture
听讲座 listen to a lecture
学术讲座 academic lecture

865. 酱油　jiàngyóu　（名） soy sauce
一瓶酱油 a bottle of soy sauce
放点儿酱油 put in some soy sauce

866. 降　jiàng　（动） go down, fall, reduce
降雨/降雪 rainfall/snowfall
降级 reduce to a lower rank

867. 降低　jiàngdī　（动） reduce, cut down
降低要求 moderate one's demands
温度降低了 The temperature dropped.

868. *交　jiāo　（动） meet, join, intersect, cross
交朋友 make friends
两条铁路交在一起 two railways cross each other

869. 交换　jiāohuàn　（动） exchange
和……交换意见 exchange opinions with...
商品交换 exchange commodities

870. 交际　jiāojì　（动、名） socialize, communicate; social intercourse, communication

广泛地交际 socialize broadly
重视交际 attach importance to socilization

871. 交流　jiāoliú　（动） exchange, interflow, interchange, share
交流感情 share feelings
扩大交流 expand the interchange

872. 交通　jiāotōng　（名） transportation, traffic
交通方便 convenient transportation
改善交通 improve transportation

873. 郊区　jiāoqū　（名） suburb, outskirts
住在郊区 live in the suburb

874. 骄傲　jiāo'ào　（形） be proud of, conceited, arrogant
骄傲情绪 arrogant attitude
感到骄傲 feel pride of

一、请从左页中选择合适的词语填入括号：

1. 如果汤太淡，可以往里加点儿（　　　）。

2. 据说今天晚上的气温要（　　　）到零下十六度。

3. 企业要发展，就必须提高质量，（　　　）价格。

4. 他来中国就是为了跟中国人民（　　　）朋友，了解中国。

5. 你们应该互相（　　　）意见，统一认识。

6. 外国人要想学好汉语，就应该多跟中国人（　　　）。

7. 应该扩大各国之间的文化（　　　）。

8. 我们学校经常举办（　　　），以扩大同学们的知识面。

9. 我家附近就有很多公共汽车站，（　　　）很方便。

10. 我们应该记住这一真理：虚心使人进步，（　　　）使人落后。

11. （　　　）的交通没有市区方便，可是空气比市区好。

二、选择与划线词语意思最相近的解释：

　　A. 把事物转移给有关方面　　　　B. 跟人往来交际

　　C. 几个方向的线条或线路互相穿过　　D. 时间、地区相连接

1. 最近他<u>交</u>了一个女朋友。　　（　　　）

2. 他每次都能按时<u>交</u>作业。　　（　　　）

3. 这个城市是交通中心，南北向铁路和东西向铁路要在这里相<u>交</u>。　（　　　）

4. 秋冬之<u>交</u>要注意防感冒。　　（　　　）

三、选择合适的词语填空：

1. A. 交　　　　B. 交际　　　　C. 交流　　　　D. 交换

（1）上半场比赛结束后，甲乙双方_____了场地。

（2）在这次大会上，两地的学者进行了广泛地_____。

（3）请把这本书_____给王处长。

（4）语言是人与人之间进行_____的重要工具。

（5）你怎么能_____这样的朋友？

（6）六一儿童节，小朋友们互相_____礼物。

（7）这次访问促进了两国的文化_____。

2. A. 降　　　　B. 降低　　　　C. 降下来

（1）厂家应在_____成本上下功夫，这样才能赢得市场。

（2）这几天连续_____雨。

（3）幕布一点点_____。

（4）他因犯了错误，所以被_____级。

875. 角　jiǎo　（名）　　　corner, horn, angle
　　牛角/羊角　　　　　　ox horn/sheep horn
　　桌子角　　　　　　　corner of a table
　　直角　　　　　　　　right angle

876. *脚　jiǎo　（名）　　leg, foot
　　山脚/裤脚　　　　　the foot of a hill/bottom of the trousers

877. 教材　jiàocái　（名）　teaching materials, textbook
　　一本/一套教材　　　a textbook/a series of textbooks

878. 教师　jiàoshī　（名）　teacher
　　当教师　　　　　　　be a teacher

879. 教授　jiàoshòu　（名）　professor
　　大学教授　　　　　　college professor

880. 教学　jiàoxué　（名）　instruction, teaching
　　汉语教学　　　　　　instruction of Chinese language

881. 教训　jiàoxùn　（动、名）　lesson, lecture
　　教训孩子　　　　　　teach the child a lesson
　　总结教训　　　　　　draw lessons

882. 教员　jiàoyuán　（名）　teacher, instructor
　　中学/小学教员　　　secondary/primary school teacher

883. 较　jiào　（介、副）　in comparison of; more than
　　较过去健康　　　　　healthier than before
　　较好/较冷　　　　　better/colder

884. *叫　jiào　（动）　　call, ask, order
　　叫几个菜　　　　　　order some dishes
　　不叫我买　　　　　　do not allow me to buy

885. 叫做　jiàozuò　（动）　be called as, be known as
　　他被人们叫做"电脑通"。　He is called by others as "an expert of computers".

886. 接触　jiēchù　（动）　contact, touch
　　接触水/火　　　　　touch water/fire

887. 接待　jiēdài　（动）　receive, admit
　　接待客人　　　　　　receive guests

146

一、请从左页中选择合适的词语填入括号：

1. 图书馆在学校的西南（　　）。

2. 不管什么样的顾客他都耐心热情地（　　）。

3. 他交际面广，什么样的人，他都（　　）过。

4. 爬山前，我们在山（　　）下集合。

5. 既然他喜欢美术，就（　　）他学吧。

6. 日本学生觉得阅读课（　　）听力课容易。

7. 他是一名人民（　　）。

8. 他平时教书，假期里还为学生编写（　　），忙极了。

9. 我们应该接受上次比赛失败的（　　）。

10. 王老师的（　　）效果特别好，我们都很喜欢他。

11. 要想当一名大学（　　），学术水平必须高。

二、选择与划线词语意思最相近的解释：

　　A．告诉人送来所需要的东西　　B．允许或听任

　　C．命令；使　　　　　　　　　D．称为

1. 你<u>叫</u>什么名字？　　（　　）

2. 行李比较多，还是<u>叫</u>一辆出租车来吧。　　（　　）

3. 老师<u>叫</u>我们明天交作业。　　（　　）

4. 妈妈不愿意<u>叫</u>我到外地上学。　　（　　）

三、选择合适的词语填空：

1. A．教师　　B．老师　　C．教员　　D．先生

（1）_____这个职业是光荣的。

（2）我家_____到外地参加学术会议去了。

（3）王_____，我明天交作业可以吗？

（4）_____休息室在那边。

2. A．接待　　B．招待

（1）姐姐好多年没来我这里了，这次来了，我得好好_____她。

（2）我们到一个工厂去参观，厂领导热情地_____了我们。

3. A．接触　　B．碰

（1）这间房间没有窗户，根本_____不到阳光。

（2）她从后边_____了我一下，悄悄地交给我一封信。

888. 接到　jiēdào　　　　　　　receive, get

　　　接到来信　　　　　　　receive a letter

889. 接见　jiējiàn　（动）　　　meet, interview

　　　接见代表　　　　　　　meet representatives

　　　希望接见　　　　　　　wish to meet...

890. 接近　jiējìn　（动）　　　be close to, be near to, approach

　　　接近群众　　　　　　　be in close contact with the masses

　　　水平接近　　　　　　　be similar in level

891. 接受　jiēshòu　（动）　　accept, take

　　　接受任务　　　　　　　accept a task

　　　接受批评　　　　　　　take criticism

892. 街道　jiēdào　（名）　　street

　　　街道干净　　　　　　　a clean street

　　　一条街道　　　　　　　a street

893. 阶段　jiēduàn　（名）　　phase, period, stage

　　　基础阶段　　　　　　　basic stage

　　　学习阶段　　　　　　　study period

894. 阶级　jiējí　（名）　　　(social) class

　　　工人阶级　　　　　　　working class

　　　阶级立场　　　　　　　class stand

895. 结实　jiēshi　（形）　　solid, sturdy, strong, tough

　　　皮鞋结实　　　　　　　durable shoes

　　　身体结实　　　　　　　sturdily built

896. 节省　jiéshěng　（动）　economize, save, conserve, cut down on

　　　节省时间　　　　　　　save time

897. 节约　jiéyuē　（动）　　save, conserve, cut down costs, economize

　　　节约水电　　　　　　　conserve water and electricity

　　　注意节约　　　　　　　practise thrift

898. 结构　jiégòu　（名）　　structure, configuration

　　　语法结构　　　　　　　grammatical structure

　　　建筑结构　　　　　　　architectural structure

一、请从左页中选择合适的词语填入括号：

1. 这两本教材在内容上很（　　　）。

2. 学校领导热情地（　　　）了记者。

3. 你（　　　）我给你寄的生日礼物了吗？

4. 老师高兴地（　　　）了我们的建议。

5. 这项工程要分（　　　）进行。

6. 这条土路将变成一条美丽的（　　　）。

7. 我们一起来分析一下这个句子的语法（　　　）。

8. 我们都是（　　　）兄弟，还分什么你我，你冷就把这件衣服穿上吧。

9. 她过日子非常（　　　），能不买的东西就尽量不买。

10. 应该让孩子们从小养成（　　　）的习惯。

11. 我们现在住的楼房比过去的土房子（　　　）多了。

二、选择合适的词语填空：

1. A. 街　　　B. 街道

(1) 今天我们上_____买东西去了。

(2) 这个城市的_____非常整齐。

(3) 王府井大_____非常漂亮。

2. A. 省　　　B. 节省　　　C. 节约

(1) 他为了多买点儿书，尽量_____自己的生活费用。

(2) 这道手续完全可以_____去。

(3) 我们要提倡_____，反对浪费。

(4) 这样做可以_____掉不少麻烦。

(5) 为了克服困难，全国开展了增产_____运动。

3. A. 阶段　　　B. 时期

(1) 学汉语的第一_____是练习发音。

(2) 和平_____的生活总是比较安定的。

4. A. 接到　　　B. 接见　　　C. 接近

(1) 请校领导定一下_____的时间和地点。

(2) 我好久没_____妈妈的来信了。

(3) 我们两个人的看法非常_____。

149

899. 结合　jiéhé　（动）	combine, integrate
理论与实践结合	link theory with practice
900. 结婚　jié hūn	marry, get married
结过婚	got married once
901. 结论　jiélùn　（名）	conclusion, verdict
下/做结论	draw a conclusion
科学的结论	scientific conclusion
902. 解　jiě　（动）	undo, untie, unbutton
解鞋带/衣服	untie the shoestring/unbutton the dress
903. 解答　jiědá　（动）	answer, solve
解答问题	answer the question
904. 解放　jiěfàng　（动、名）	liberate, emancipate; liberation, emancipation
解放思想	liberalize one's thinking
解放前(指 1949 年)	before liberation（in 1949)
得到解放	be freed
905. 解释　jiěshì　（动、名）	explain, interpret; explanation, interpretation
解释生词	explain a new word
正确的解释	correct explanation
906. 届　jiè　（量）	session, class
本届毕业生	this year's graduates
第九届全国人民代表大会	Ninth National People's Congress
907. 金　jīn　（名）	gold, metal, money
五金商店	hardware store
金色的太阳	the golden sun
金口难开	seldom give one's opinion
908. 金属　jīnshǔ　（名）	metal
金属结构	metal structure
909. 今后　jīnhòu　（名）	future
今后的生活	life in the future
910. *紧　jǐn　（形）	tight, taut, close
鞋太紧。	The shoes are too tight.
911. *紧张　jǐnzhāng　（形）	tightly scheduled
生活紧张	live a busy life

150

一、请从左页中选择合适的词语填入括号：

1. 单有理论还不行，还得（ 　　 ）实际。

2. 你这个（ 　　 ）还下得太早，你应该好好地调查研究一下才对。

3. 为了（ 　　 ）老师提出的问题，他查了很多资料。

4. 我们必须（ 　　 ）思想，适应现代化建设的需要。

5. 对有意见的群众应该做好（ 　　 ）工作。

6. 这个架子是（ 　　 ）的，比木的、塑料的结实。

7. （ 　　 ）的日子一定会比现在好。

8. 我和我女朋友都想（ 　　 ），可是现在没有房子。

9. 窗户太（ 　　 ），怎么也拉不开。

10. 你是哪一（ 　　 ）的毕业生？

11. 这绳子捆得太紧了，怎么也（ 　　 ）不开。

12. 青年时代是人们的黄（ 　　 ）时代。

二、选择与划线词语意思最相近的解释：

    A. 金属　　　B. 金属元素　　　C. 比喻宝贵　　　D. 金子样的颜色

1. 现在黄<u>金</u>是九十块钱一克。 （ 　　 ）

2. 他到五<u>金</u>商店买东西去了。 （ 　　 ）

3. 这部电视剧都是在黄<u>金</u>时间播出。 （ 　　 ）

4. 她长了一头<u>金</u>色的头发。 （ 　　 ）

三、选择合适的词语填空：

1. A. 解答　　　B. 解释　　　C. 说明

　　（1）他俩之间的误会已经互相_____清楚了。

　　（2）你要不懂这种药怎么用的话，可以看看_____。

　　（3）我们怎么_____他们提出的问题呢？

2. A. 次　　　B. 届

　　（1）你是哪_____的毕业生？

　　（2）你去过几_____上海？

四、判断正误，对的划"√"，错的划"×"：

1. 今后我要更加刻苦地学习。 （ 　　 ）

2. 他去年来过，今后再没有见过他。 （ 　　 ）

912. 仅　jǐn　（副）	only, merely, barely, just
仅放三天假	only have three days off
913. 仅仅　jǐnjǐn　（副）	only, merely, barely, just
仅仅学了半年汉语	have learned Chinese for half a year only
914. 尽　jǐn　（动）	give priority to
尽着老人先上车	let old men get on the bus first
先尽着好衣服穿	choose from the best dresses to wear
915. 尽管　jǐnguǎn　（副、连）	feel free to; in spite of, despite, though.
有意见尽管提	feel free to make suggestions
尽管有困难	in spite of difficulties
916. 尽量　jǐnliàng　（副）	to the best of one's ability
尽量帮助一下	do the best to help
917. *进　jìn　（动）	*placed after a verb as a complement expressing direction from outside to inside*
走进/跑进教室	walk/run into the classroom
918. 进步　jìnbù　（形、动）	advanced, progressive; progress, improve
进步思想	progressive ideas
社会进步了	The society has progressed.
919. 进攻　jìngōng　（动）	attack, assail, assault, offensive
向敌人进攻	launch an attack against the enemy
甲队开始进攻。	Team A began its offensive.
920. 进化　jìnhuà　（动）	evolution
人类在进化	The mankind is evolving.
921. 进口　jìn kǒu	enter the port, import
轮船正在进口	A ship is entering the port.
从国外进口	import from foreign countries
922. 进入　jìnrù　（动）	enter, get into
进入社会	enter the society
进入新世纪	enter into a new century
923. 进修　jìnxiū　（动）	engage in advanced studies
进修半年外语	have a half-year English training

152

一、请从左页中选择合适的词语填入括号:

1. 把你知道的情况，（　　　）详细地给大家介绍一下。

2. 你有什么困难，（　　　）提出来，我们一定想办法帮你解决。

3. （　　　）为了一点儿小事，他就发这么大的脾气，真不应该。

4. 这学期，他一直十分努力，（　　　）很快。

5. 足球赛一开始，我方就加强（　　　），连进了两个球。

6. 虽然已经（　　　）了寒冷的冬天，他仍然坚持体育锻炼。

7. 他一直在研究生物的（　　　）问题。

8. 有什么好吃的东西，妈妈都是先（　　　）着我们吃。

9. 我希望你听得（　　　）大家的意见。

10. 我们需要从国外（　　　）一些先进的设备。

11. 为了提高业务水平，我只好一边工作，一边（　　　）。

二、选择合适的词语填空:

1. A. 进修　　　B. 学习

(1) 你快考大学了，可得抓紧时间_____。

(2) 虽然当老师了，可是过去没专门学过教育学，我想出去_____半年。

(3) 为了提高大家的外语水平，学校为老师开办了外语_____班。

2. A. 进入　　　B. 进去

(1) 我国已经_____了一个经济发展的新时期。

(2) 他正在礼堂看节目呢，你快_____叫他。

(3) 我们的汽车现在已经_____市区。

3. A. 进步　　　B. 提高

(1) 听了校长的报告，大家很受教育，认识都_____了。

(2) 在新世纪里，社会一定会_____得更快。

(3) 只要是新的、_____的东西，总会受到人们的欢迎。

4. A. 尽　　　B. 尽管　　　C. 尽量

(1) 妈妈知道女儿爱美，有了钱都_____着女儿花。

(2) 明天你_____早点儿来。

(3) _____我们有困难，还是接受了任务。

(4) 把东西放到我这儿，你_____放心，丢不了。

153

924. 进一步　jìn yī bù

进一步改革开放

进一步的打算

further

further reform and opening

further plan

925. 禁止　jìnzhǐ　（动）

禁止吸烟

prohibit, ban, forbid

No smoking.

926. 近来　jìnlái　（名）

近来天气很冷

recently, lately

It is cold these days.

927. 尽　jìn　（动）

用/想尽办法

to the utmost

by every means possible

928. 劲　jìn　（名）

有劲/没劲

energy, strength

have energy/no energy（figuratively the Chinese
phrases can mean exciting/boring）

酒劲

the vigour of wine

929. 京剧/京戏　jīngjù/jīngxì　（名）

京剧艺术

看/听京剧

Beijing opera

art of Beijing opera

watch/listen to Beijing opera

930. 精力　jīnglì　（名）

集中精力

一生的精力

energy, vigour

concentrate one's energy on

life-long efforts

931. * 精神　jīngshén　（名）

会议的精神

spirit, essence, gist

the essence of the meeting

932. 经　jīng　（动）

经天津到上海

经朋友介绍

pass through, via, by way of

go to Shanghai via Tianjin

by the introduction of a friend

933. * 经济　jīngjì　（名）

家里经济困难

经济收入

economy, financial condition

financial difficulties of the family

income

934. 经理　jīnglǐ　（名）

公司经理

manager

company manager

935. 经历　jīnglì　（动、名）

经历过战争

生活经历

undergo, experience; experience

experience the war

life experiences

一、请从左页中选择合适的词语填入括号：

1．二十世纪九十年代，中国人民的生活水平有了（　　　）的提高。

2．（　　　）天气一直不太好，经常刮风下雨。

3．有的外国朋友也会唱（　　　），真不简单。

4．你是学生，应该把主要（　　　）放在学习上。

5．我们要认真学习和贯彻中央会议的（　　　）。

6．在医院、剧场是（　　　）吸烟的。

7．你放心，我会想（　　　）办法帮助你的。

8．儿子刚十三岁，可是很有（　　　），几十斤重的东西一扛就走了。

9．他不（　　　）批准就不来上班，太不应该了。

10．他的工资不高，母亲又有病，所以（　　　）比较困难。

11．公司（　　　）的工资当然比职工高。

二、选择合适的词语填空：

1．A．精力　　　　B．精神

（1）要想当一个好官，就必须有为人民服务的_____。

（2）她工作那么忙，下班后还要看孩子，哪有_____学外语？

（3）养个孩子真不容易，特别费_____。

（4）咱们先别着急，把文件_____研究透以后再行动也不迟。

2．A．劲　　　　B．力量

（1）我们要尽一切_____完成上级交给的任务。

（2）这种酒的后_____大，你可别喝多了。

（3）跑到后来，我一点儿_____也没有了，实在跑不动了。

3．A．经历　　　　B．经验

（1）他虽不太老，_____的危险可不少。

（2）他的工作_____非常丰富。

（3）我的生活_____可不复杂。

4．A．尽　　　　B．完

（1）你要想_____办法帮我一下。

（2）那个坏东西干_____了坏事。

（3）这本书我用_____了就还你。

155

936. 井　jǐng　（名）

一眼/一口水井

well

a well

937. 警察　jǐngchá　（名）

人民/交通警察

police, policeman

people's/traffic police

938. 静　jìng　（形）

静静地坐着

屋里很静

quiet, silent, tranquil

sit quietly

It is very quiet in the room.

939. 敬爱　jìng'ài　（动）

敬爱父母/老人

值得敬爱

respect, honour, esteem

respect and love one's parents/elderly people

deserve respect

940. 敬礼　jìng lǐ

向老师敬礼

此致敬礼

salute, give a salute, send greetings

salute the teacher

with high respect

941. 镜子　jìngzi　（名）

照一下镜子

一面镜子

mirror

look in the mirror

a mirror

942. 竞赛　jìngsài　（动）

竞赛激烈

劳动竞赛

进行竞赛

compete, contest

keen competition

labour emulation

have a competition

943. 究竟　jiūjìng　（副）

他究竟怎么了？

爷爷究竟是老了。

actually, after all, on earth

What on earth is the matter with him?

Grandpa is old after all.

944. 纠正　jiūzhèng　（动）

纠正缺点/错误

correct, put or set right

correct a mistake

945. 救　jiù　（动）

救人/救命

rescue, save, help

rescue a person/save sb.'s life

946. 就　jiù　（介）

就学习问题交流经验

要就着年轻多学点儿

with regard to, take advantage of

share experiences about learning

One should learn more while one is young.

947. *就　jiù　（副）

大点儿就大点儿吧。

let it be (to express concession)

It is a little bigger, but let it be.

156

一、请从左页中选择合适的词语填入括号：

1. 农业要解决水的问题就必须挖渠挖（　　）。

2. 同学们都在做作业，教室里显得特别（　　）。

3. 大夫说我的病够危险的，往医院再晚送半天就没法（　　）了。

4. 爷爷每天都是（　　）着去散步的时间买点儿菜。

5. 人民（　　）他，是因为他为人民做了好事。

6. 战士们见到了上级领导，都要（　　）。

7. 交通（　　）的工作很重要，也很辛苦。

8. 理发馆要有一面大（　　），因为不仅顾客需要它，理发师也需要它。

9. 这个工厂自从开展劳动（　　）以来，面貌发生了很大变化。

10. 我不知道他（　　）来不来。

11. 发音不太好的同学应该下工夫（　　）发音。

二、选择与划线词语意思最相近的解释：

　　A. 引进动作的对象、范围　　　　　　B. 趁着；借着

　　C. 用在两个相同的成分之间，表示容忍　　D. 表示事实正是如此

1. 他走就走了吧，以后再找他。　（　　）

2. 就这次考试成绩来说，他比我好。　（　　）

3. 我要就着放假的机会到中国各地玩儿一玩儿。　（　　）

4. 他就是张老师。　（　　）

三、选择合适的词语填空：

1. A. 竞赛　　　　B. 比赛

　（1）咱俩_____一下，看谁跑得快。

　（2）我希望全班来个学习_____，看谁学得好。

2. A. 纠正　　　　B. 改正

　（1）一个人有了错误，就应该自觉地_____。

　（2）爸爸常常专心地听我读报，发现读错了，就马上_____我。

3. A. 静　　　　　B. 平静

　（1）教室里_____得像没有人一样。

　（2）虽然她得了大奖，可是她的心和平时一样，特别_____。

　（3）你要_____下心来，才能提高学习效率。

948. 就是　jiùshì　（副、连）　yes, that's right, exactly; even if, but, *or used for an emphatic expression*

让我去，我就是不去。　I was asked to go, but I will never.

就是治也治不好　Even if you treat it, you can never cure it.

路倒不远，就是难走。　It is not far, but the road condition is bad.

就是，你说得对。　Exactly, what you said is right.

别着急，我帮你就是了。　Don't worry. I will help you.

949. 局长　júzhǎng　（名）　director

教育局局长　the director of the Bureau of Education

950. *举　jǔ　（动）　cite

举一个例子　cite an example

951. 举行　jǔxíng　（动）　hold, stage, take place

举行晚会/比赛　give a party/play a match

952. 拒绝　jùjué　（动）　refuse, reject, turn down, decline

拒绝了对方　refuse the other party

拒绝回答　refuse to answer

遭到拒绝　get refused

953. 据说　jùshuō　（副）　it is said, they say

据说他回国了。　It is said he has returned from abroad.

954. 巨大　jùdà　（形）　tremendous, huge, massive

巨大的任务　a huge task

955. 具备　jùbèi　（动）　possess, have, be provided/equipped with

具备条件　have the necessary conditions

956. 具体　jùtǐ　（形）　concrete, exact, detailed

具体情况　concrete conditions

要求很具体　detailed requirements

957. 具有　jùyǒu　（动）　possess, have, be provided with

具有优良传统　have a good tradition

958. 距离　jùlí　（名）　distance

距离远/近　a long/short distance

959. 距离　jùlí　（介）　away from

学校距离家乡不远。　The school is close to my hometown.

960. 俱乐部　jùlèbù　（名）　club

职工俱乐部　staff club

一、请从左页中选择合适的词语填入括号：

1. 学语言一定要大胆，（　　）说错了也没关系。

2. 他爸爸是（　　）有什么了不起？

3. 这次大学生运动会将在中国（　　）。

4. 一个人如果骄傲了，就是有了错误，也会（　　）别人的批评和帮助。

5. 讲语法不（　　）例子是讲不清楚的。

6. 文艺作品对人们思想的影响是（　　）的。

7. 因为有现代化的交通，世界各国之间的（　　）就显得小了。

8. 北京的名胜古迹非常（　　）吸引力。

9. 青年一代应该（　　）建设祖国和保卫祖国的本领。

10. 请你把开会的（　　）时间和地点告诉我。

11. （　　）新来的老师很有学问。

12. （　　）今天晚上有精彩的文艺演出。

二、选择与划线词语意思最相近的解释：

A. 表示强调、态度坚决　　B. 表示假设让步　　C. 表示转折　　D. 表示同意

1. <u>就是</u>你不请我，我也会去的。　（　　）

2. 不管怎么请，他<u>就是</u>不来。　（　　）

3. 他人不错，<u>就是</u>脾气大一点儿。　（　　）

4. 别说了，我听你的<u>就是</u>了。　（　　）

三、选择合适的词语填空：

1. A. 举行　　B. 进行

（1）这里要＿＿＿＿一个展览会。

（2）听完报告后要＿＿＿＿讨论。

（3）今天礼堂要＿＿＿＿庆祝活动。

2. A. 具备　　B. 具有

（1）这次会议＿＿＿＿重大的历史意义。

（2）国家应该帮助那些＿＿＿＿上大学条件的学生读完大学。

四、判断正误，对的划"√"，错的划"×"：

1. 你据说过阿凡提的故事吗？　（　　）

2. 你听说过阿凡提的故事吗？　（　　）

961. 剧场　jùchǎng　（名）　theatre
　　　首都剧场　the Capital Theatre
962. 卷　juǎn　（动）　roll（up），curl，furl
　　　卷起裤子　roll up one's pants
963. *觉得　juéde　（动）　feel，sense，think
　　　觉得情况不对　sense something wrong
964. 觉悟　juéwù　（动、名）　realize，become aware；realization，conscious-ness，awareness

　　　觉悟到错了　realize the mistake
　　　提高觉悟　enhance one's awareness
965. 决　jué　（副）　definitely，absolutely
　　　决无此事　absolutely no such a thing
966. 决心　juéxīn　（名、动）　determination；determine
　　　决心很大　great determination
　　　决心学好汉语　determined to study Chinese well
967. 绝对　juéduì　（形）　absolute
　　　说得太绝对　The statement is too definitive.
　　　绝对没错　definitely right
968. 军　jūn　（名）　armed forces，forces，army
　　　两个军的兵力　force of two armies
　　　全军　the entire army
969. 军队　jūnduì　（名）　army，troop
　　　人民军队　the People's Army
970. 军事　jūnshì　（名）　military affairs
　　　军事斗争/形势　military struggle/situation

K

971. *开　kāi　（动）　set up，start，boil
　　　开饭店　run a restaurant
　　　开演　begin the show
　　　水开了。　The water is boiling.
972. 开放　kāifàng　（动）　come into bloom
　　　百花开放　All kinds of flowers are in blossom.
973. 开会　kāi huì　meeting
　　　开了两天会　attend a meeting for two days

160

一、请从左页中选择合适的词语填入括号：

1. （　　　）里一般都是演节目，放电影的时候比较少。

2. 我（　　　）不会再下雪了。

3. 她（　　　）很大，一定要考上大学。

4. 你要（　　　）相信我，我是不会骗你的。

5. 我们这里（　　　）没有这种书，你还是到别的地方找找吧。

6. 他把裤腿（　　　）起来向河边走去。

7. 他在学校里不但提高了科学文化水平，还提高了政治（　　　）。

8. 要处理好（　　　）民关系，搞好（　　　）民团结。

9. 要保卫国家的安全，必须有一支强大的（　　　）。

10. 要想使军队有战斗力，必须加强（　　　）训练。

11. 咱们明天（　　　）研究一下新生分班问题。

二、选择与划线词语意思最相近的解释：

A. 建立；开办　　B. 开始　　C. 液体受热而转化成气体的现象　　D. 展开

1. 公园里的花都<u>开</u>了。　　（　　　）

2. 那条街上又<u>开</u>了一家商店。　　（　　　）

3. 礼堂的电影几点<u>开</u>演？　　（　　　）

4. 水<u>开</u>了，可以往茶壶里倒了。　　（　　　）

三、选择合适的词语填空：

1. A. 军　　　B. 军队

（1）他在_____校学习了四年。

（2）一定要抓好_____的训练工作。

2. A. 开　　　B. 开放

（1）花盆里的花已经完全_____。

（2）你的裤子划_____了一个口子。

四、判断正误，对的划"√"错的划"×"：

1. 他深深地感觉到祖国的温暖。　　（　　　）

2. 这道题的答案绝对正确。　　（　　　）

974. 开课　kāi kè
　　明天正式开课
　　开口语课

975. 开明　kāimíng　（形）
　　政治开明
　　开明的领导

976. 开辟　kāipì　（动）
　　开辟公路/市场
　　开辟未来

977. 开演　kāiyǎn　（动）
　　电影/节目开演了。

978. 开展　kāizhǎn　（动）
　　开展活动

979. 砍　kǎn　（动）
　　砍树

980. *看　kàn　（动）
　　看问题全面
　　另眼相看
　　我看要下雨。

981. 看不起　kàn bu qǐ
　　别看不起人

982. 看法　kànfǎ　（名）
　　看法正确/不对

983. 看来　kànlái　（连）
　　看来不努力不行。

984. 看样子　kàn yàngzi
　　看样子他很年轻。

985. 扛　káng　（动）
　　扛行李/粮食
　　扛起来这个任务

986. 考虑　kǎolǜ　（动）
　　考虑问题

begin school, offer a course
The school will begin tomorrow.
offer spoken language courses

enlightened, liberal
enlightened politics
enlightened leaders

open, start, hew out
cut out a path/open a market
open up to the future

begin
The movie/program begins now.

develop, launch
launch an activity

cut, chop, hack, fell
fell a tree

see, look at, view, consider, judge
consider a matter comprehensively
regard somebody with special favour
I think it's going to rain.

look down upon
Don't look down upon others.

view, point of view, opinion
correct/wrong view

it seems that, it looks that, look like
It seems that I have to work hard.

seemingly, apparently
Apparently he is very young.

carry on the shoulder, shoulder
shoulder a luggage/rice sack
shoulder the task

consider, think over
consider a problem

一、请从左页中选择合适的词语填入括号：

1．我们学校是9月1号开学，9月2号正式（　　　）。

2．我们生活在一个（　　　）人类新历史的光辉时代。

3．电影晚上七点（　　　）。

4．（　　　）课外活动对提高汉语水平是有帮助的。

5．那棵梨树终于被老王（　　　）掉了。

6．谁都希望自己能遇上一位（　　　）的领导。

7．你的建议很好，值得（　　　）。

8．我（　　　）明天不会再下雨了。

9．你要有信心，不要自己（　　　）自己。

10．你应该多听听其他同志的（　　　）。

11．这么容易的题都没答对，（　　　）你没认真复习。

12．他真有劲，一百斤重的大米，他一（　　　）就走了。

二、选择与划线词语意思最相近的解释：

　　A．观察并加以判断　　B．对待　　C．访问　　D．使视线接触人或物

1．他<u>看</u>问题很全面。　　（　　　）

2．晚上咱们去<u>看</u>场电影吧。　　（　　　）

3．你可别把他当小孩子<u>看</u>，他懂的东西比大人还多呢。　（　　　）

4．星期天我去<u>看</u>一个朋友。　　（　　　）

三、选择合适的词语填空：

1．A．展开　　B．开展

（1）要在青少年中深入＿＿＿＿政治思想教育活动。

（2）我军向敌人＿＿＿＿了大规模的进攻。

（3）只有认真贯彻执行党的政策，才能推动各项工作的＿＿＿＿。

（4）会上，大家＿＿＿＿了热烈的讨论。

2．A．看法　　B．意见

（1）请你谈谈对中学生到国外读书的＿＿＿＿。

（2）我俩没有走到一起，因为我们对婚姻的＿＿＿＿很不一样。

（3）他俩为这件事闹了点儿＿＿＿＿。

（4）我对同屋夜里十二点后看电视很有＿＿＿＿。

987. 考　kǎo　（动）　test, give or take an examination
　　　考学生　test students
　　　考大学　take college entrance examination

988. 烤　kǎo　（动）　bake, roast, toast
　　　烤面包/烤肉　bake bread/roast meat

989. 靠　kào　（动、介）　lean against, prop against, be near; depend on
　　　靠在沙发上坐着　lean against the sofa
　　　把自行车靠在墙上　lean the bike against the wall
　　　学校西靠山,东靠河。　The school stands by a mountain in the west and a river in the east.

　　　靠工资生活　live on one's wage/salary

990. 颗　kē　（量）　*a measure word for anything small and roundish*
　　　一颗牙/心　a tooth/heart

991. 科　kē　（名）　branch of learning or professional skill, section
　　　文科/理科　humanities/sciences
　　　内科/外科　internal medicine/surgery
　　　伙食科/教材科　mess/textbook section

992. 科学家　kēxuéjiā　（名）　scientist
　　　一位伟大的科学家　physicist/chemist

993. 科学院　kēxuéyuàn　（名）　academy of sciences
　　　社会科学院　academy of social sciences

994. 科研　kēyán　（名）　scientific research
　　　搞科研　do scientific research
　　　科研计划/工作　scientific research plan/work

995. 科长　kēzhǎng　（名）　section chief
　　　教材科科长　the chief of Textbook Section

996. 可　kě　（副、连）　*used for emphasis*; *but*
　　　那儿可冷了。　It is really cold there.
　　　没有钱可怎么吃饭呢?　How can I have dinner without money?
　　　你可见过大海?　Have you ever seen the sea before?
　　　他想上大学,可没考上。　He wanted to go to college, but failed the entrance examination.

997. 可爱　kě'ài　（形）　lovely, cute
　　　动作/样子可爱　lovely look/manner

一、请从左页中选择合适的词语填入括号：

1. 她能力很强，来教材科工作没有几年就当上了（　　）。

2. 你的女儿长得真（　　），阿姨们都很喜欢她。

3. 只有加强教学的（　　）工作，才能提高教学水平。

4. 他的汉语说得（　　）流利了。

5. 他大学毕业后就分配到（　　）民族研究所工作了。

6. 这位农业（　　）对提高水稻种子的质量作出了巨大贡献。

7. 鲜花不贵，却表达了儿子对母亲的一（　　）爱心。

8. 他在学校的伙食（　　）工作。

9. 不应该用难题怪题（　　）学生。

10. 小时候，妈妈怕我冬天受凉，总是把衣服（　　）一下才让我穿。

11. 爸爸工作累了，就（　　）在椅子上休息一会儿。

二、选择与划线词语意思最相近的解释：

　　A. 表示强调的语气　　　　　B. 用在反问句里，加强反问的语气

　　C. 用在问句里，加强疑问的语气　　D. 表示转折

1. 这件事你可要处理好。　（　　）

2. 他虽然很努力，可成绩却不太好。　（　　）

3. 你可见过大海？　（　　）

4. 你不说好在哪儿等你，可让我到哪儿找你呀？　（　　）

三、选择合适的词语填空：

1. A. 考　　　B. 测验

　　(1) 我＿＿＿＿一下你耳朵的听力。

　　(2) 你儿子今年＿＿＿＿大学吗？

　　(3) 这个专业比较难＿＿＿＿，要求的分数很高。

2. A. 靠　　　B. 依靠

　　(1) 你把伞＿＿＿＿在墙上。

　　(2) 祖国就是我的＿＿＿＿。

　　(3) 他是＿＿＿＿自己的努力考上大学的。

3. A. 颗　　　B. 棵

　　(1) 一＿＿＿＿树　　　　(2) 一＿＿＿＿白菜

　　(3) 一＿＿＿＿种子　　　　(4) 一＿＿＿＿牙

998. 可靠　kěkào　（形）　reliable, dependable
可靠的朋友　reliable friends
这消息不可靠。　The news is not reliable.

999. 可怜　kělián　（形、动）　pitiful, poor; pity, take pity on
没妈的孩子可怜　The motherless child is pitiful.
可怜可怜孩子吧　show mercy to the child

1000. 可怕　kěpà　（形）　dreadful, terrible, scary, frightening
有的病很可怕。　Some diseases are scary.

1001. 可以　kěyǐ　（形）　passable, acceptable
考得还可以　do OK in the exam

1002. 克服　kèfú　（动）　overcome, conquer
克服缺点　overcome one's shortcoming
克服困难　overcome difficulties

1003. 刻　kè　（动）　carve, engrave, cut
刻字/刻碑文　lettering/carve an inscription

1004. 刻苦　kèkǔ　（形）　hardworking, studious
刻苦学习/钻研　be studious in study/research
过日子很刻苦　lead a simple and frugal life

1005. 客人　kèrén　（名）　guest, visitor
他家现在有客人。　He has visitors now.
旅馆的客人　guests in the hotel

1006. 课程　kèchéng　（名）　course
课程安排　courses arrangement
课程表　syllabus

1007. 肯　kěn　（助动）　agree, consent, be willing to
肯努力/帮助人　be willing to make efforts/help others

1008. 肯定　kěndìng　（动、形）　approve, affirm; positive, definite, affirmative
肯定成绩　affirm one's achievements
回答得很肯定　affirmative answer
地点还不肯定　not definite about the site yet

1009. 空　kōng　（形）　empty, vacant, hollow, void
空房子　empty room
文章很空。　The article lacks substance.

一、请从左页中选择合适的词语填入括号：

1. 自学考试要考很多门（　　　）。

2. 我问他去不去，他没有做（　　　）的回答。

3. 只要（　　　）努力，就一定能做出成绩。

4. 这篇文章写得太（　　　），真没意思。

5. 别信他，他的话不（　　　）。

6. 犯错误并不（　　　），（　　　）的是不改正错误。

7. 因为考题不太难，所以我的成绩还（　　　）。

8. 笔上（　　　）着我的名字呢。

9. 只要意志坚强就没有（　　　）不了的困难。

10. 没人照顾的老人也真是（　　　）。

11. 战士们正在进行（　　　）的训练。

12. 这个旅馆的服务质量好，所以来住的（　　　）特别多。

二、选择与划线词语意思最相近的解释：

1. A.好；不坏　　　B.可能或能够　　　C.许可

(1) 一个房间可以住两个人。（　　　）

(2) 他汉语学得还可以。（　　　）

(3) 星期日可以到你们那儿参观吗？（　　　）

2. A.承认事物的存在或事物的真实性　　　B.正面的；没有疑问的　　　C.确定；明确

(1) 领导上充分肯定了我们的成绩。（　　　）

(2) 他说话的语气非常肯定。（　　　）

(3) 他哪一天回国，现在还不肯定。（　　　）

3. A.没有东西　　　B.没有内容　　　C.不切实际的

(1) 这篇论文写得太空。（　　　）

(2) 他只会空想，从来不实干。（　　　）

(3) 那个箱子是空的，里面什么也没有。（　　　）

三、判断正误，对的划"✓"，错的划"✗"：

1. 大家都肯你留在这里。（　　　）

2. 大家都愿意你留在这里。（　　　）

1010. 空间 kōngjiān （名）	space, room
生活的空间	living space
1011. 空前 kōngqián （形）	unprecedented, unparalleled
空前繁荣	unprecedented prosperity
1012. 空中 kōngzhōng （名）	in the air, in the sky
明月挂在空中	the bright moon in the sky
飞向空中	fly to the sky
1013. 恐怕 kǒngpà （副）	be afraid
恐怕不会及格。	I am afraid that he will not pass the exam.
恐怕他不来了。	I am afraid that he will not come.
1014. 孔 kǒng （名）	hole, opening, aperture
针孔/鼻孔	needle's eye/nostril
1015. 空儿 kòngr （名）	unoccupied space, empty space, free time
填空儿	fill a vacancy
抽空儿学习	find time to study
1016. 控制 kòngzhì （动）	control
控制体重	control one's weight
控制交通要道	control the important traffic route
1017. *口 kǒu （名）	cut, (broken) hole, crack, chip
伤口	wound, cut, gash
花瓶缺了个口儿。	The vase has a chip in the rim.
1018. 口袋 kǒudai （名）	bag, pocket
塑料口袋	plastic bag
上衣口袋	pockets on the frock
1019. 口号 kǒuhào （名）	slogan
战斗口号	battle cry
呼口号	shout slogans
1020. 扣 kòu （动）	button up, put on
扣上扣子	button up
扣上碗里的菜	cover the dish
乱扣帽子	put a label on sb. irresponsibly
1021. 裤子 kùzi （名）	pants, trousers
一条裤子	a pair of pants

一、请从左页中选择合适的词语填入括号：

1. 他不喜欢家具太多，太多的话特别占（　　）。

2. 你要有（　　）的话，就到我这里来玩儿。

3. 我已经买上衣了，还想买一条（　　）。

4. 你的衣扣开了，赶快（　　）上吧。

5. 我们这个集体（　　）团结。

6. 不要空喊（　　），要干出点儿成绩来。

7. 改革开放以后，老百姓（　　）里的钱多了，日子好过了。

8. 住院后妈妈的病情得到了（　　）。

9. 你看，（　　）的云就像一张美丽的画儿。

10. 现在放假了，（　　）他已经回国了。

11. 我不小心，手上划了个小（　　）。

12. 在墙上钻个（　　），电话线就可以拉进来了。

二、选择与划线词语意思最相近的解释：

1. A. 嘴　　　　　　　　B. 容器通往外面的地方

　　C. 出入通过的地方　　D. 人体、物体的表层破了的地方

(1) 把鞋放在门口。　　（　　）

(2) 我的裤子划了个口儿。　　（　　）

(3) 我口渴了，想喝点儿水。　　（　　）

(4) 糖应该装在大口瓶里。　　（　　）

2. A. 套住或搭住　　　　B. 器物口朝下放置或盖上

　　C. 安上罪名或不好的名义

(1) 你把衣服的扣子扣好。　　（　　）

(2) 他被扣上了强盗的帽子。　　（　　）

(3) 你要吃的饭菜在桌子上扣着呢。　　（　　）

三、判断正误，对的划"√"，错的划"×"：

1. 他感冒很厉害，恐怕不能来上课了。　　（　　）

2. 他特别恐怕打针。　　（　　）

3. 他回国恐怕有二十天了。　　（　　）

4. 你恐怕考试吗？　　（　　）

5. 我什么也不恐怕。　　（　　）

169

1022. *苦 kǔ （形）	hardship, suffering, misery, painstaking
苦日子	miserable days
苦学苦练	study and practise hard
1023. 跨 kuà （动）	leap over, stride across
向前跨一步	take a step forward
1024. 筷子 kuàizi （名）	chopsticks
一双/一根筷子	a pair of chopsticks/a chopstick
1025. *快 kuài （形）	quick, nimble, quick-witted, sharp, keen
把刀磨快	whet a knife
脑子/手脚快	have a quick mind/action
1026. 快乐 kuàilè （形）	happy, joyful, pleasant
祝……生日快乐	wish ...a happy birthday
1027. 宽 kuān （形）	wide, broad
马路很宽	broad street
知识面宽	a wide range of knowledge
1028. 款 kuǎn （名）	fund, sum of money
一笔款	a sum of money
存款/取款	deposit/withdraw money
1029. 矿 kuàng （名）	mineral, ore deposit
找矿/开矿	prospect for mine/mine
金矿/铁矿	gold/iron mine
在矿上干活儿	work at a mine
1030. 捆 kǔn （动）	tie, bind, bundle up
捆行李/书	pack the luggage/books
1031. 困 kùn （形）	sleepy
困得睁不开眼了	too sleepy to open one's eyes
1032. 扩大 kuòdà （动）	enlarge, expand, extend, broaden
扩大面积	expand the area
扩大生产	expand production

一、请从左页中选择合适的词语填入括号：

1. 老师们搬家前都要把书（　　　）起来。

2. 你（　　　）了就睡觉，别看电视了。

3. 太阳光下太热，你把同学们（　　　）到树下休息吧。

4. 张老师搬家以后住房面积比原来（　　　）了很多。

5. 学外语必须（　　　）练。

6. 中国人、日本人、韩国人吃饭一般都用（　　　），不用勺子。

7. 那个地方有金（　　　），产金子。

8. 现在到银行取（　　　）很方便，很快。

9. 经过改造，这个城市的马路比过去（　　　）多了。

10. 她的手特别（　　　），不到一个小时就把饺子包好了。

11. 我觉得和爷爷、奶奶在一起过春节特别（　　　）。

12. 他（　　　）着大步向学校走去。

二、选择与划线词语意思最相近的解释：

　　A.走路、做事等用的时间少　　B.赶快　　C.锋利　　D.灵敏

1. 你的脑子真<u>快</u>，不到半小时就把生词背下来了。　　（　　　）

2. 他的病比较厉害，<u>快</u>把他送到医院去吧。　　（　　　）

3. 这把刀真<u>快</u>，特别好用。　　（　　　）

4. 坐出租车比坐公共汽车<u>快</u>多了。　　（　　　）。

三、选择合适的词语填空：

1. A.苦　　　B.痛苦

　　(1) 我_____劝了他半天，他也不听。

　　(2) 我不知道怎样帮助她脱离_____。

　　(3) 这中药_____得厉害。

2. A.快乐　　B.高兴

　　(1) 我_____ 这样做，你别管我。

　　(2) 我天天都能听到孩子们_____的歌声。

3. A.钱　　　B.款

　　(1) 这是公_____，谁也不能随便动。

　　(2) 妈妈每个月给我五十元零花_____。

练 习 答 案

第3页

一、1.哎呀　　2.挨　　3.啊　啊
　　4.阿姨　　5.哎　　6.阿拉伯语
　　7.爱　　8.阿姨　　9.矮
　　10.爱情　　11.爱护

二、1.(1)A　(2)B
　　2.(1)C　(2)B　(3)D　(4)A

三、1.(1)A/B　(2)B　(3)A
　　2.(1)A/C　(2)A　(3)B

第5页

一、1.白　2.白　3.暗　4.吧
　　5.岸　6.安全　7.把　8.按/按照
　　9.按时　10.按

二、1.A　2.B　3.A/C　4.C

三、1.(1)B　(2)A　(3)A　(4)B
　　2.(1)A　(2)B

四、1.为什么非要按你的意思办？
　　2.他每天都按时把报纸送来(或:他每天
　　　都把报纸按时送来)。
　　3.家里的事使他不能安心地工作。

第7页

一、1.白菜　2.半夜　3.白天　4.百
　　5.班　6.板　7.半导体　8.半天
　　9.摆　10.班长　11.班

二、1.(1)C　(2)D　　2.(1)A　(2)A
　　3.(1)B　(2)C

三、1.A　2.B

四、1.我白解释了半天。

2.这种东西白送我我也不想要。

第9页

一、1.包　　2.办公室　　3.榜样
　　4.包括　　5.包子　　6.薄
　　7.办……事　8.包　　9.傍晚
　　10.帮……忙　11.保　　12.办公

二、1.(1)C　(2)A　(3)B　(4)A/C　(5)B
　　(6)A　(7)C
　　2.(1)B　(2)A　(3)A/B

三、1.×　2.√　3.×

第11页

一、1.保证　2.保护　3.报告　4.报名
　　5.保证　6.饱　7.宝贵　8.抱歉
　　9.保证　10.报到

二、1.(1)A/B　(2)A/C　(3)C　(4)C
　　2.(1)B　(2)A
　　3.(1)B　(2)A
　　4.(1)A　(2)B
　　5.(1)B/C　(2)B/C　(3)A

第13页

一、1.背　2.背后　3.本　4.本　5.背
　　6.本来　7.背　8.背后　9.悲痛

二、1.C　2.B　3.A

三、1.(1)A/D　(2)B　(3)A/D　(4)B
　　(5)C
　　2.(1)B　(2)A/B　(3)B

四、1.份　张　2.条/床　3.座

第15页

一、1.本质　2.笨　3.逼　4.比如

172

5.毕业　6.本事/本领　　7.鼻子

8.比　　9.闭　　10.笔记　11.笔

12.比例

二、1.A　2.B　3.A

三、1.A　2.B　3.A

四、1.✓　2.✗　3.✓　4.✗

第17页

一、1.编　　2.扁　　3.必要　4.必然

5.必要　6.边　　7.便条　8.边……边

9.遍　　10.避免　11.变

二、1.C　2.D　3.B

三、1.(1)B　(2)A　2.(1)B　(2)A

3.(1)B　(2)C　(3)A

第19页

一、1.表　　2.标准　3.表面　4.标点

5.标准　6.冰　　7.表　　8.宾馆

9.标准　10.兵　　11.冰

二、1.(1)B　(2)B　(3)A　(4)D

(5)A　(6)D　(7)C

2.(1)A　(2)B　(3)A　(4)B

三、1.B　　2.A　　3.D

第21页

一、1.并且　2.并　　3.并　　4.病房　病人

5.病菌　6.脖子　7.补　　8.捕

9.玻璃　10.伯父　伯母　11.并

二、1.张　2.块　3.块

三、1.B　2.B　3.A　4.A

四、1.F　2.F　3.A　4.E　5.D　6.B　7.C

第23页

一、1.不大　2.不　　3.不得了　4.不敢当

5.不断　6.不得了　7.不得不　8.不

9.补习　10.补课　11.补充

二、1.(1)A　(2)B

2.(1)B　(2)A

3.(1)B　(2)A

4.(1)B　(2)A　(3)A

三、1.✓　2.✓　3.✗

第25页

一、1.不好意思　2.不是吗　　3.不仅

4.不平　　5.不少　　6.不然

7.不少　　8.不管/不论　9.不好意思

10.不仅　　11.不过　　12.不然

二、1.D　2.C　3.B　4.D　5.A

三、1.✓　2.✗　3.✗　4.✓　5.✗

第27页

一、1.部　部　部　2.不幸　　3.不住

4.不要紧　5.步　　6.不一定

7.不行　　8.不许　　9.不幸

10.布置

二、1.(1)B　(2)A/C　(3)B　(4)C　(5)A

2.(1)B　(2)A　(3)B

3.(1)A　(2)A　(3)B

三、1.B　2.A　3.C

第29页

一、1.采购　2.猜　3.踩　4.材料　5.部门

6.擦　　7.部长

二、1.(1)B　(2)A　(3)A/B

2.(1)A　(2)B　(3)A

3.(1)B　(2)A/C　(3)C

(4)A/C　(5)B/C

4.(1)B　(2)A

三、1.D　2.B　3.B

第31页

一、1.叉子　2.餐厅　3.册　　4.曾/曾经

5.低　　6.册　　7.插　　8.彩色

9.厕所　10.草原　11.草地　12.测验

二、1.(1)A　(2)B

2.(1)B　(2)A　(3)B

173

3.(1)A/B　(2)B　(3)A/B

三、1.× 2.√ 3.× 4.×

第33页

一、1.长途　2.产品　3.常　　4.超过
　　5.场　　6.差点儿　7.差点儿　8.长期
　　9.拆　　10.超　11.超过

二、1.B 2.A

三、1.(1)A　(2)B　(3)A
　　2.(1)B　(2)A　(3)A
　　3.(1)A　(2)A　(3)C　(4)B

第35页

一、1.抄/抄写　2.称赞　3.趁
　　4.衬衣/衬衫　5.成　　6.称
　　7.成　　8.沉默　9.吵
　　10.车间　11.称

二、1.D 2.(1)C　(2)B

三、1.(1)B　(2)A　(3)B
　　2.(1)A　(2)B　(3)A

四、1.趁着今天天好,咱们出去玩玩吧。
　　2.趁中午休息,我去了一趟银行。

第37页

一、1.成就　2.成果　3.成熟　4.成分
　　5.程度　6.成就　7.成功　8.成立
　　9.成功　10.乘　11.成长

二、1.(1)B　(2)A　(3)A/B
　　2.(1)A　(2)A/B　(3)A　(4)A/B
　　3.(1)B　(2)A/B　(3)A/B
　　4.(1)A　(2)B　(3)B

第39页

一、1.承认　2.冲　3.虫子　4.重叠
　　5.吃　　6.吃惊　7.翅膀　8.重复
　　9.尺　　10.吃……惊

二、1.C 2.B

三、1.(1)C　(2)B　(3)A/C　(4)D　(5)C

(6)A

2.(1)A　(2)C　(3)B　(4)B　(5)A/C

第41页

一、1.抽出　2.出口　3.抽象　4.初级
　　5.抽　　6.出口　7.臭　　8.愁
　　9.崇高　10.初步　11.出版

二、1.(1)C　(2)A　(3)C　(4)D　(5)B
　　(6)C
　　2.(1)C　(2)B　(3)D　(4)A

三、1.B 2.C 3.C

第43页

一、1.处分　2.除　　3.处　　4.穿
　　5.传　　6.传　　7.出生　8.出院
　　9.厨房　10.传统　11.处

二、1.(1)A　(2)B
　　2.(1)A　(2)B
　　3.(1)A/B　(2)B　(3)A/B
　　4.(1)A　(2)B　(3)A
　　5.(1)A/B　(2)B

第45页

一、1.吹　　2.此　　3.聪明　4.从不
　　5.从没　6.词　　7.刺　　8.春节
　　9.此外　10.出发　11.从此

二、1.(1)B　(2)A
　　2.(1)B　(2)C　(3)A　(4)A/B
　　3.(1)B　(2)A　(3)A　(4)B
　　4.(1)A　(2)C　(3)A/B

第47页

一、1.促进　2.寸　　3.催　催　4.粗
　　5.醋　　6.存在　7.从　　8.从事
　　9.促进

二、1.(1)B　(2)A
　　2.(1)B　(2)C　(3)A
　　3.(1)A　(2)B　(3)A/B

4.(1)A　(2)A　(3)B

5.(1)B　(2)C　(3)A

第49页

一、1.打扮　2.大　3.打倒　大多数

　　4.打针　5.答案　6.打扰　7.答应

　　8.答　　9.打听　10.达到　11.答卷

二、A(9)　　B(6)　　C(12)　D(2　3　4)

　　E(7　8)　F(5　11)　G(1)　H(10)

三、1.(1)B　(2)A

　　2.(1)A　(2)B

　　3.(1)A　(2)A　(3)B

第51页

一、1.大衣　2.大陆　3.呆　4.大会

　　5.大街　6.大伙儿　7.大型　8.大使馆

　　9.大米　10.呆呆

二、1.A　2.B　3.B

三、1.(1)B　(2)A　(3)A/B　(4)A　(5)B

　　2.(1)A/B　(2)A　(3)A/B　(4)B

第53页

一、1.代表　2.单调　3.单词　4.单位

　　5.代代　6.代替　7.袋　8.担任

　　9.单

二、1.A(3　6)　B(1　5)　C(4)　D(2　7)

　　2.A(2　4)　B(3　5)　C(1　6)

三、1.(1)B　(2)A/B　(3)C

　　2.(1)B　(2)A

　　3.(1)B　(2)A　(3)C

第55页

一、1.当地　2.当时/当年　3.当年　4.党

　　5.挡　6.蛋糕　7.当前　8.当

　　9.淡　10.蛋　11.但　12.当

　　13.当……的时候

二、1.B　2.D　3.A　4.C　5.A

三、1.(1)B　　(2)A　　(3)A

2.(1)A/B　(2)A　　(3)A

第57页

一、1.道德　2.道路　3.倒　4.道

　　5.党员　6.刀子　7.岛　8.倒

　　9.当　10.当做　11.到达

二、1.(1)C　(2)A　(3)D

　　2.(1)A　(2)B

　　3.(1)C　(2)A　(3)B

三、1.B　2.A　3.C　4.A

第59页

一、1.的确　2.登记　3.低　4.滴

　　5.德语　6.等于　7.等　8.得(děi)

　　9.等待　10.敌人　11.得　12.……的话

　　13.道歉

二、1.A　2.A　3.B

三、1.(1)A/B　(2)C　(3)B

　　2.(1)A　(2)B　3.(1)A　(2)B

第61页

一、1.地方　2.地　3.地点　4.地址

　　5.地图　6.地面　7.点　8.地位

　　9.地球

二、1.B　2.A

三、1.(1)B　(2)B　(3)A　(4)A

　　2.(1)B　(2)A　(3)C　(4)B

　　3.(1)B　(2)A　(3)A　(4)B

第63页

一、1.店　2.吊　3.钓　4.电梯

　　5.电影院　6.电视台　7.电报　8.电风扇

　　9.电冰箱　10.电台

二、1.(1)D　(2)C　(3)B　(4)A　(5)E

　　2.(1)B　(2)C

三、1.(1)A　(2)A　(3)B

　　2.(1)A/B　(2)A　(3)B

第65页

一、1.东南 2.顶 3.东北 4.丢 5.懂得
　　6.东面 7.跌 8.顶 9.跌

二、1.A(2 6 7) B(1 5) C(3 4)
　　2.A(1 3) 　B(6) 　C(2 7 8)
　　　D(4 5 9)

三、1.(1)C (2)B/D (3)A/B/D
　　2.(1)A (2)A/B (3)B (4)B (5)A

第67页

一、1.独立 2.读者 3.动员 4.动人
　　5.斗争 6.动作 7.豆腐 8.洞
　　9.读书 10.动手 11.动物园 12.动身

二、1.(1)B (2)A (3)A
　　2.(1)B (2)A (3)A
　　3.(1)B (2)A

三、1.朋友们都动员我参加一个模仿明星的
　　　比赛。
　　2.他刚读了十分钟的书就睡着了。
　　3.大部分中国妇女在经济上是独立的。
　　4.他第二天一早就动身去县城。

第69页

一、1.队 2.断 3.堆 4.断
　　5.端 6.度 7.队长 8.短期
　　9.肚子 10.堵 11.队/队伍
　　12.度

二、1.(1)C (2)B (3)A
　　2.(1)C (2)D (3)E

三、1.(1)A (2)B (3)A
　　2.(1)B (2)A

第71页

一、1.对方 2.对象 3.吨 4.对面
　　5.对话 6.蹲 7.对比 8.对比
　　9.对付 10.多数 11.对待

二、1.(1)A/D (2)B (3)A (4)C (5)C

2.(1)B (2)A
　　3.(1)B (2)A (3)A/B

三、1.D 2.C 3.D

第73页

一、1.朵 朵 2.而 3.耳朵 4.儿童
　　5.躲 躲 6.而 7.发出 8.鹅

二、1.A(2) 　　B(1 5) 　C(8 9)
　　　D(4 6 7) E(3)
　　2.A(2 4 5) B(1 6 7) C(3)

三、1.(1)A (2)B 2.(1)B (2)A (3)B

四、1.这些水果新鲜而有营养。
　　2.你不要整天呆在家里,而应该多出去
　　　走走。
　　3.父亲近来脾气很大,我们能躲着他就
　　　躲着他。

第75页

一、1.发……言 2.法郎 3.法律 4.繁荣
　　5.发展 　　6.发抖 7.凡 8.发挥

二、1.(1)B 　(2)A B
　　2.(1)A/C (2)A/D (3)A (4)B/C
　　3.(1)B 　(2)AA 　(3)A
　　4.(1)B 　(2)C 　(3)A
　　5.(1)A 　(2)B 　(3)B

第77页

一、1.反复 2.方案 3.反正 4.犯
　　5.反复 6.犯 7.范围 8.反抗
　　9.反正 10.方 11.反动

二、1.(1)A (2)B (3)A (4)B (5)A
　　2.(1)B (2)A (3)A
　　3.(1)B (2)A (3)A
　　4.(1)B (2)A

第79页

一、1.非……不可 2.放大 3.放……心
　　4.防 　　5.方向 　6.方针

7.防止　　　8.纺织　　9.房子
10.仿佛

二、A(5　10)　B(4　8)　C(2)　D(6)
E(1　7)　　F(3　9)

三、1.(1)B　(2)A
2.(1)A　(2)B　(3)B
3.(1)A　(2)B　(3)A　(4)A

第81页

一、1.分配　2.纷纷　3.费/费用　4.费
5.分析　6.费　　7.肥　　8.肺
9.粉笔　10.费　费

二、1.B　2.A　3.A

三、1.(1)A　(2)A/B　(3)B　(4)A/B
2.(1)A　(2)B
3.(1)A　(2)B　(3)B　(4)A

第83页

一、1.风景　2.风力　3.封建　4.否定
5.奋斗　6.份　　7.份　　8.愤怒
9.份　　10.否则

二、1.C　2.A　3.B

三、1.(1)A　(2)B/C　(3)B/C　(4)A　(5)A
2.(1)A　(2)B　(3)B　(4)A

第85页

一、1.副食　2.符合　3.复印　4.富
5.副　6.浮　　7.服从　8.扶
9.复述　10.妇女　11.付　12.富

二、1.(1)B　(2)A
2.(1)A　(2)B
3.(1)B　(2)A/C　(3)C　C　(4)A
4.(1)B　(2)A　(3)A　(4)C

第87页

一、1.该　　2.概括　3.盖　　4.干
5.概念　6.盖　　7.概括　8.改正
9.该

二、1.A　2.D　3.B　4.C　5.B

三、1.(1)A　(2)D　(3)B　(4)E　(5)F
(6)C　(7)A/B
2.(1)B　(2)A/B　(3)A/B

第89页

一、1.赶　　2.干杯　3.肝　　4.赶
5.杆　　6.感觉　7.干净　8.干燥
9.干脆　10.干净　11.感觉

二、1.(1)A/B　(2)A/B/C　(3)A/B　(4)C
2.(1)A　　(2)B
3.(1)A　　(2)A/B　(3)B　B
4.(1)A/B　(2)A　(3)C　(4)B

第91页

一、1.感想　2.港　　3.高　　4.敢
5.感情　6.高　　7.钢　　8.干活
9.敢　　10.感情

二、1.B　2.B　3.B

三、1.A/B　2.C　3.A/B　4.B

四、1.B　2.B　3.C　4.C　5.B

第93页

一、1.高大　　2.高度　　3.高度　4.高原
5.告知　　6.告　　7.告别　8.搁
9.割　　10.胳膊　11.革命
12.高高大大　13.隔壁　14.隔

二、1.B　2.C　3.C　4.B　5.A　6.B　7.A

第95页

一、1.个人　2.个体　3.个别　4.墙根儿
5.工程师　6.个子　7.根本　8.根据
9.工程　10.更加　11.跟前　12.给
13.给

二、1.B　2.A　3.A　4.B

三、1.C　2.C　3.C

第97页

一、1.工夫　2.功夫　3.工资　4.工具

177

5.工作　6.工艺品 7.供　　8.交际工具

9.供　　10.工会 11.公开 12.供给

13.公费 14.公共 15.公开

二、1.B　2.A　3.A　4.D

三、1.B　2.A　3.A/B　4.B

第99页

一、1.共　　2.共产党 3.共同　　4.狗

5.构成　　6.构造　7.公路

8.公用电话9.公司　10.公元

11.巩固　12.贡献

二、1.条　2.家　3.部　4.只/条

三、1.(1)B　(2)A　(3)A

2.(1)A　(2)B　(3)B

3.(1)A　(2)B　(3)A　(4)B

第101页

一、1.鼓舞　2.鼓励　3.鼓舞　4.鼓励

5.鼓掌　6.古　　7.鼓掌　8.古老

9.古代　10.估计 11.估计 12.姑姑

13.骨头 14.鼓　　15.够

二、1.鼓励　2.鼓舞　3.鼓励　4.鼓舞

5.鼓励　6.鼓舞

三、1.(1)D　(2)A

2.(1)B　(2)A　(3)D　(4)C

第103页

一、1.故意　2.故意　3.顾　　　4.顾

5.顾客　6.挂号　7.挂不上号　8.拐

9.拐　　10.古迹 11.故乡　12.刮

13.挂　　14.古老 15.故事 16.挂

二、1.B　2.C　3.B　4.C　5.D　6.A

第105页

一、1.关照　2.关于　3.官　　4.观察

5.观点　6.管　　7.观众　8.管

9.怪　　10.怪　11.关键 12.关

二、1.B　2.C　3.D　4.C

三、句首　　的

四、1.关于　2.对于　3.对于　4.关于

第107页

一、1.冠军　2.罐头　3.贯彻　4.光

5.光辉　6.光明　7.光线　8.光荣

9.管理　10.(天安门)广场

二、不加"的";加"的"

三、1.B　2.A　3.D

四、1.B　2.A　3.D　4.C

五、1.管理　2.管　　3.管　　4.管理

第109页

一、1.广泛　2.广大　3.逛　　4.广阔

5.广告　6.规定　7.规模　8.规律

9.滚　　10.锅　11.鬼　　12.跪

二、1.广大　2.广阔　3.广泛　4.广阔

5.广泛　6.广泛　7.广泛　8.广泛

9.广大/广阔　　10.广泛　11.广大

12.广泛

三、1.B　2.C　3.A　4.D　5.B　6.B

四、1.条　2.口/个　3.张/条　4.个/条/项

第111页

一、1.国民党　2.过程　　3.国际　4.国王

5.果然　　6.还 还　7.还是　8.海

9.过年　　10.海洋　11.海关

二、1.(1)B　(2)C　(3)D　(4)A

2.(1)C　(2)A　(3)B　(4)D

3.(1)C　(2)C　(3)B

第113页

一、1.行　　2.汗　　3.喊　　4.寒冷

5.航空信6.毫不　7.毫无　8.好好儿

9.害人　10.害 11.害处 12.含

13.害怕

二、1.毫不　2.毫无　3.毫不

4.毫无　5.毫不　6.毫无

178

三、1.✓　2.✕

四、1.D　2.B　3.C　4.A

第115页

一、1.好听　2.好学　3.好　　4.好
　　5.好久　6.好容易　7.号　　8.号码
　　9.好些　10.好　　　11.号召　12.好玩儿

二、1.C　2.A　3.B　4.C　5.D　6.C

三、1.号　2.号　3.号码　4.号码

第117页

一、1.合　　2.合理　　3.合作　　4.合同
　　5.合　　6.盒　　7.黑　　8.黑暗
　　9.嘿　　10.恨

二、1.(1)C　(2)A　(3)A　(4)C
　　2.(1)B　(2)A　(3)B
　　3.(1)C　(2)B　(3)A　(4)A　(5)B
　　　(6)C

第119页

一、1.红茶　2.红旗　3.哼　　4.猴子
　　5.厚　　6.后悔　7.后年　8.后天
　　9.后来　10.后边　11.后面(后边)

二、1.(1)A/B　(2)B　(3)A　(4)B
　　2.(1)B　(2)A　(3)B

三、1.A　2.D　3.C

第121页

一、1.呼吸　2.壶　　3.呼　　4.胡子
　　5.胡乱　6.糊涂　7.护士　8.护照
　　9.花园　10.雪花　冰花　　11.户
　　12.花

二、1.把　2.张/本　3.名　4.户

三、1.(1)B　(2)C　(3)A　(4)D　(5)D
　　　(6)A　(7)C
　　2.(1)B　(2)A　(3)A

第123页

一、1.滑　2.滑冰　3.划　4.画/划

5.化　　6.画报　7.划　　8.欢迎
9.坏　　10.坏处　11.欢送

二、1.B　2.A　3.D　4.C　5.D　6.B

三、1.(1)A　(2)B　(3)B　(4)A
　　2.(1)B　(2)A　(3)A　(4)A/B

第125页

一、1.环境　2.换　　3.环　　4.还还价
　　5.慌　　6.黄瓜　7.恢复　8.黄油
　　9.皇帝　10.灰　11.挥手　12.灰
　　13.慌

二、1.(1)B　(2)C　(3)A　(4)B
　　2.(1)A　(2)B　(3)B

三、1.hái C　2.huán A　3.huán B
　　4.hái D

第127页

一、1.回来　2.回去　3.回信　4.回来
　　5.回忆　6.回　　7.会　　8.会谈
　　9.回头　10.会见　11.会场

二、1.(1)D　(2)B　(3)A　(4)C　(5)D
　　2.(1)B　(2)D　(3)A　(4)C　(5)B
　　　(6)C

三、1.A/B　2.B

第129页

一、1.昏迷　2.会议　3.活动　4.婚姻
　　5.活动　6.活泼　7.活跃　8.活跃
　　9.火　　10.火柴　11.伙食　12.活儿
　　13.获得　14.混

二、1.会　2.会议　3.会　　4.会
　　5.会议　6.会议

三、1.得到　2.获得/得到　3.获得
　　4.得到　5.获得　　　　6.得到

四、1.D　2.A　3.C　4.A　5.B

第131页

一、1.货　　2.机床　3.几乎　4.激动

179

5.积累　6.积极　7.激烈　8.积极性

9.积极　10.机械　11.或　或　12.几乎

13.激动　14.机关

二、1.(1)A　(2)A/B　(3)A　(4)B

2.(1)A　(2)B　(3)A/A

3.(1)A　(2)B　(3)A

第133页

一、1.集中　2.集体　3.极　4.极其

5.集　6.即　7.及　8.及时

9.及不了格　10.急忙　11.急

二、1.B　2.A　3.C　4.D

三、1.极　2.极其　3.极

四、1.集合　2.集中　3.集中　4.集合

第135页

一、1.级　2.季节　3.寄　4.记者

5.技术员　6.记不得　7.计算　8.记忆

9.记录　10.既

二、1.B　2.C　3.D　4.A

三、1.B　2.A　3.C　4.D

四、1.又　2.既　3.既

第137页

一、1.家具　2.家乡　3.家　4.加

5.夹　6.既然　7.既……也……

8.既……又……　9.纪律

10.纪念　11.加工

二、1.既然　2.既然　3.既　4.既

三、1.(1)B　(2)C　(3)A　(4)D

2.(1)B　(2)C　(3)A

第139页

一、1.指甲　2.假牙　3.假话　4.假条

5.加以　6.加强　7.价格

8.价值　价值　9.坚强　10.坚决

11.坚定　12.架　13.尖

二、1.B　2.A　3.A

三、1.坚定/坚决　2.坚决/坚定　3.坚定

4.坚强/坚定　5.坚强/坚定　6.坚决

7.坚定　8.坚决　9.坚决

10.坚强/坚定　11.坚定　12.坚决

第141页

一、1.艰苦　2.艰巨　3.肩　肩　4.尖锐

5.检查　6.捡　7.简单　8.减

9.剪　10.简单　11.减轻　12.减少

二、1.D　2.B　3.C　4.A

三、1.C　2.D　3.A　4.B　5.A　6.A

7.C

第143页

一、1.讲话　2.建议　3.奖　4.奖学金

5.建　6.建筑　7.建立　8.渐渐

9.见　10.箭　11.将　12.将要

二、1.B　2.C　3.A　4.D

三、1.B　2.A　3.C　4.D/A　5.B　6.A

四、1.√　2.×　3.×

第145页

一、1.酱油　2.降　3.降低　4.交

5.交换　6.交际　7.交流　8.讲座

9.交通　10.骄傲　11.郊区

二、1.B　2.A　3.C　4.D

三、1.(1)D　(2)C　(3)A　(4)B　(5)A

(6)D　(7)C

2.(1)B　(2)A　(3)C　(4)A

第147页

一、1.角　2.接待　3.接触　4.脚

5.叫　6.较　7.教师　8.教材

9.教训　10.教学　11.教授

二、1.D　2.A　3.C　4.B

三、1.(1)A　(2)D　(3)B　(4)C/A

2.(1)B　(2)A

3.(1)A　(2)B

第149页

一、1.接近　2.接见　3.接到　4.接受
　　5.阶段　6.街道　7.结构　8.阶级
　　9.节省　10.节约　11.结实

二、1.(1)A　(2)B　(3)A
　　2.(1)B　(2)A　(3)C　(4)A　(5)C
　　3.(1)A　(2)B
　　4.(1)B　(2)A　(3)C

第151页

一、1.结合　2.结论　3.解答　4.解放
　　5.解释　6.金属　7.今后　8.结婚
　　9.紧　10.届　11.解　12.金

二、1.B　2.A　3.C　4.D

三、1.(1)B　(2)C　(3)A　2.(1)B　(2)A

四、1.√　2.×

第153页

一、1.尽量　2.尽管　3.仅仅　4.进步
　　5.进攻　6.进入　7.进化　8.尽
　　9.进　10.进口　11.进修

二、1.(1)B　(2)A　(3)A
　　2.(1)A　(2)B　(3)A
　　3.(1)B　(2)A　(3)A
　　4.(1)A　(2)C　(3)B　(4)B

第155页

一、1.进一步　2.近来　3.京剧　4.精力
　　5.精神　6.禁止　7.尽　8.劲
　　9.经　10.经济　11.经理

二、1.(1)B　(2)A　(3)A　(4)B
　　2.(1)B　(2)A　(3)A
　　3.(1)A　(2)B　(3)A
　　4.(1)A　(2)A　(3)B

第157页

一、1.井　2.静　3.救　4.就
　　5.敬爱　6.敬礼　7.警察　8.镜子

9.竞赛　10.究竟　11.纠正

二、1.C　2.A　3.B　4.D

三、1.(1)B　(2)A
　　2.(1)B　(2)A
　　3.(1)A　(2)B　(3)A

第159页

一、1.就是　2.局长　3.举行　4.拒绝
　　5.举　6.巨大　7.距离　8.具有
　　9.具备　10.具体　11.据说　12.俱乐部

二、1.B　2.A　3.C　4.D

三、1.(1)A　(2)B　(3)A　2.(1)B　(2)A

四、1.×　2.√

第161页

一、1.剧场　2.觉得　3.决心　4.绝对
　　5.决(绝对)　6.卷　7.觉悟　8.军　军
　　9.军队　10.军事　11.开会

二、1.D　2.A　3.B　4.C

三、1.(1)A　(2)B　2.(1)B　(2)A

四、1.√　2.√

第163页

一、1.开课　2.开辟　3.开演　4.开展
　　5.砍　6.开明　7.考虑　8.看
　　9.看不起　10.看法　11.看来　12.扛

二、1.A　2.D　3.B　4.C

三、1.(1)B　(2)A　(3)B　(4)A
　　2.(1)A　(2)A　(3)B　(4)B

第165页

一、1.科长　2.可爱　3.科研　4.可
　　5.科学院　6.科学家　7.颗　8.科
　　9.考　10.烤　11.靠

二、1.A　2.D　3.C　4.B

三、1.(1)B　(2)A　(3)A
　　2.(1)A　(2)B　(3)A/B
　　3.(1)B　(2)B　(3)A　(4)A

一、1.课程　　2.肯定　　3.肯　　4.空

　　5.可靠　　6.可怕　可怕　　7.可以

　　8.刻　　9.克服　　10.可怜　11.刻苦

　　12.客人

二、1.(1)B　(2)A　(3)C

　　2.(1)A　(2)B　(3)C

　　3.(1)B　(2)C　(3)A

三、1.×　　2.√

一、1.空间　　2.空儿　　3.裤子　　4.扣

　　5.空前　　6.口号　　7.口袋　　8.控制

　　9.空中　　10.恐怕　　11.口(儿)　12.孔

二、1.(1)C　(2)D　(3)A　(4)B

　　2.(1)A　(2)C　(3)B

三、1.√　　2.×　　3.√　　4.×　　5.×

一、1.捆　　2.困　　3.拉　　4.扩大

　　5.苦　　6.筷子　　7.矿　　8.款

　　9.宽　　10.快　　11.快乐　12.跨

二、1.D　2.B　3.C　4.A

三、1.(1)A　(2)B　(3)A

　　2.(1)B　(2)A

　　3.(1)B　(2)A